COMO LIDAR COM
PESSOAS DIFÍCEIS

*Guia Prático Para
Melhorar Seus Relacionamentos*

ALAN HOUEL & CHRISTIAN GODEFROY

COMO LIDAR COM PESSOAS DIFÍCEIS

*Guia Prático Para
Melhorar Seus Relacionamentos*

Tradução:
SURIA SCAPIN VAZ DE OLIVEIRA

MADRAS®

Do original: *How to Cope with Difficult People*
© Original edition published by Edi Inter SA Switzerland
Represented by The Cathy Miller Rights Agency, London
© UK Edition: Sheldon Press
Tradução autorizada do inglês.
Direitos exclusivos para todos os países de língua portuguesa.
© 2016, Madras Editora Ltda.

Editor:
Wagner Veneziani Costa

Produção e Capa:
Equipe Técnica Madras

Tradução:
Suria Scapin Vaz de Oliveira

Revisão:
Wilson Ryoji Imoto

Dados Internacionais de Catalogação na Publicação (CIP)
(Câmara Brasileira do Livro, SP, Brasil)

Houel, Alan
Como lidar com pessoas difíceis: guia prático para melhorar seus relacionamentos / Alan Houel & Christian Godefroy;
tradução Suria Scapin
Vaz de Oliveira. – 11. ed. – São Paulo: Madras, 2016.
Título original: How to cope whith difficult people
Bibliografia.

ISBN 978-85-370-0307-7

1. Conflito interpessoal 2. Psicologia aplicada
3. Relações interpessoais I. Godefroy, Christian.
II. Título.
07-9883 CDD-158.2

Índices para catálogo sistemático:
1. Pessoas difíceis: Relações interpessoais:
Psicologia aplicada 158.2

Proibida a reprodução total ou parcial desta obra, de qualquer forma ou por qualquer meio eletrônico, mecânico, inclusive por meio de processos xerográficos, incluindo ainda o uso da internet, sem a permissão expressa da Madras Editora, na pessoa de seu editor (Lei n° 9.610, de 19.2.98).

Todos os direitos dessa edição, em língua portuguesa, reservados pela

MADRAS EDITORA LTDA.
Rua Paulo Gonçalves, 88 – Santana
CEP: 02403-020 – São Paulo/SP
Caixa Postal: 12183 – CEP: 02013-970 – SP
Tel.: (11) 2281-5555 – Fax: (11) 2959-3090
www.madras.com.br

Índice

INTRODUÇÃO 11

   Os principais tipos de pessoas difíceis............................12
   Os tipos que agridem 12
   Os tipos que reclamam...12
   Os tipos fechados 13
   Lidando com pessoas difíceis 13
   Proteção interior...13

• **Capítulo 1** •

– DO QUE VOCÊ É FEITO?..15

   Quatro forças que determinam sua personalidade................16
   Suas necessidades emocionais e econômicas 16
   Seus modelos 16
   Seus valores 17
   Você é capaz de se afirmar?...17
   Você é uma presa fácil para pessoas difíceis? 19
   Aceite-se como você é 20
   Evite irritar-se..21

Melhore sua aparência 22
Aprendendo a dizer não 23
Medo da rejeição 23

• **Capítulo 2** •

– TIPOS AGRESSIVOS 25

O que fazer quando estiver diante de um "rolo compressor" 26
Tipos cirúrgicos 28
Hostilidade disfarçada 29
Qual estratégia você deve usar? 29
Um último aviso 31
Seu programa de exercícios 32

• **Capítulo 3** •

– TIPOS QUE RECLAMAM E OUTROS
TIPOS NEGATIVOS 36

Derrotistas e pessimistas 37
Vítima eterna 37
Influência destrutiva 38
Ajudando-os – e a você também 38
Quais são as queixas deles? 39
Sugerindo outras opções 40
Tornando-se atento à responsabilidade 41
Impossibilitado ou responsável? 43
Tornando-se criativo 44
Último recurso: enlouqueça-os! 45
Seu programa de treinamento 48

• **Capítulo 4** •

– TIPOS FECHADOS 51

O silêncio da rejeição 53
Mecanismo automático de reação 53

O silêncio da proteção 54
O silêncio da repressão 55
O silêncio do aborrecimento 56
Vocês falam a mesma língua? 57
O princípio da afinidade 58
Seis formas de classificar informações 58
Falador em um dia, quieto no outro 60
Lidando com tipos fechados 60
Faça as perguntas corretas 61
Não permita que o silêncio o deixe sem graça 61
Se nada funcionar 63
Fechados ao telefone 63
O que você pode fazer? 64
Seu programa de treinamento 64
Identificando a tendência sensorial 65
Quais problemas estão envolvidos? 65
Quais palavras e por quê? 65
Palavras características 66
Analisando uma conversa 66
Categorias de classificação das palavras 67

• **Capítulo 5** •

– O PERIGO DE JOGAR 70

Quais são os resultados? 73
Quais são os remédios? 74
Mostrando sua vulnerabilidade 78
Ultrapassando o ressentimento 79
A anatomia do ressentimento 79
A quem seu ressentimento machuca? 80
Livrando-se do ressentimento 81
Mudando uma situação que já dura há muito tempo 82
Seu programa de treinamento 82
Limpando a comunicação 83
Preparando uma reconciliação 84
Aprendendo a perdoar 84

• Capítulo 6 •

– QUATRO ESTÁGIOS IMPORTANTES 85

Avalie a situação 86
Esse é um comportamento típico? 86
Você é explosivo? 87
Uma discussão franca esclarecerá tudo? 88
Pare de tentar mudar a outra pessoa 89
Desejos não são realidade 89
Você pode influenciar as atitudes das pessoas 90
Aprenda a se distanciar..90
Adote uma estratégia e a aplique 91
Evite situações de ganha-e-perde......................................91
A atitude do ganha-e-ganha 92
A escolha é sua 92
Tornando-se consciente da interação negativa....................93
Empenhe-se em uma interação positiva.............................93
Condições para o sucesso 94

• Capítulo 7 •

– O PODER POSITIVO DAS PALAVRAS.............................96

Os três mandamentos da defesa...96
Reconhecendo um ataque 97
Adaptando sua defesa 98
Levando sua defesa até o fim..98
Os tipos mais frequentes de ataque....................................99
Acusações disfarçadas 99
Apelando para as emoções..103
Conclusões..105

• Capítulo 8 •

– DESENVOLVENDO A FORÇA INTERIOR 107

Reconhecendo os níveis de agressão 107
Agressão física 108
Agressão intelectual 108
Agressão física e mental 109
Por que nós sofremos? 110
Gestos e frases mortais 110
Parando as reações automáticas 112
Dessensibilizando-se 112
Escudos mental e emocional 113
Criando afirmações efetivas 114
Quatro palavras a serem evitadas 116
Pondo suas afirmações em uso 117
Afirmações como escudos emocionais 117
O poder do paradoxo 118
O poder dos encantamentos 119
O poder da desassociação 120
Técnicas físicas para controlar as emoções 121
Relaxamento dinâmico 122
Acessando seus recursos 122

• Capítulo 9 •

– HUMOR – A ARMA SUPREMA 124

A essência do humor 125
Humor x ideias condicionadas 125
Usando o humor 126
Afiando seu senso de humor 126
Evite más notícias 127
Ria todos os dias 128
Dizer não com humor 130
Resista ao sarcasmo 132
Na jaula do leão 132
Conclusão 132

– APÊNDICE 1: AGRESSÃO PASSIVA 134

– APÊNDICE 2: TESTE DE VAT 136

    Tipos visuais 139
    Tipos auditivos 139
    Tipos táteis 139
    Apêndice 2: Teste de critérios 139
    Tabela de análises 142
    Eventos 143
    Lugares 143
    Atividades 143
    Pessoas 143
    Informações 144
    Objetos 144

– APÊNDICE 3: RELAXAMENTO E VISUALIZAÇÃO 145

– APÊNDICE 4: RESPOSTAS SIMPLES 150

– APÊNDICE 5: EXERCÍCIO DE VISUALIZAÇÃO 1 154

    Apêndice 5: Exercício de visualização 2 157

Introdução

Há algumas situações repetitivas em nossas vidas – encontros que parecem seguir o mesmo modelo e que frequentemente envolvem pessoas difíceis. Quantas pessoas você conhece que reclamam com amargura de seus empreendimentos, ou que acabam tendo uma sucessão de separações após viver uma série de dramas trágicos e destrutivos? "Talvez tenham mais sorte da próxima vez", dizemos para nós mesmos, embora a história pareça se repetir e a relação acabe por ser um desastre.

"Eu não aguento mais o Charles!", murmura um biólogo sobre o colega. "Deveríamos trabalhar juntos, mas sempre que eu faço uma sugestão ele me corta, trata-me como se eu fosse uma espécie de ignorante e fica bravo se insisto na minha opinião. Claro que, assim que eu viro as costas, ele começa a falar como se a ideia fosse dele e, se ela der certo, todo o crédito fica para ele. Ele nunca divide. Ele nunca discute nada, embora devêssemos ter reuniões regulares. Eu não sei mais o que fazer."

"Vi meu pai. Foi um desastre", disse um jovem de 25 anos. "Ele continua não me levando a sério. Contraria tudo o que digo e fica nervoso sempre que tentamos debater algo. Ele sabe tudo e eu não sei nada. Ele ficará com a primeira opinião que saiba ser totalmente contrária à minha para não ter que admitir que eu estou certo. E, então, fica muito bravo e começa a reclamar sobre sua saúde e aí eu me sinto culpado por tê-lo feito se sentir mal."

Como a vida seria fácil se não tivéssemos que lidar com pessoas difíceis! Os relacionamentos seriam harmoniosos e haveria mais justiça e tolerância no mundo. Há algo que possamos fazer para conseguir o que queremos, mesmo de pessoas difíceis? Existem alguns segredos para tornar as relações humanas mais harmoniosas e efetivas, mesmo surgindo pessoas difíceis no meio do caminho? Estejamos falando sobre a vida diária, sobre nossas relações pessoais ou íntimas, sobre família ou trabalho, sempre é útil saber como lidar com pessoas difíceis para podermos nos comunicar e viver o melhor possível. Por meio da harmonização de nossos relacionamentos nós nos afirmamos e desenvolvemos nossa própria personalidade e permitimos que, ao mesmo tempo, os outros também façam o mesmo.

Os principais tipos de pessoas difíceis

Pessoas difíceis de se lidar podem ser classificadas em alguns tipos principais. Você irá rapidamente perceber que você vem lidando com alguns deles em situações comuns. Começaremos com uma rápida olhada e examinaremos cada tipo no restante do livro, orientando como lidar com eles.

Os tipos que agridem

Essa categoria inclui comportamentos hostis, que desejam machucar, ser sarcásticos, não cooperar, ser arrogantes e que julgam saber tudo. A pessoa agressiva tenta dominar. Ela não hesitará em recorrer a um insulto e, ao contrário do ditado popular – cão que ladra não morde –, não hesitará em te apunhalar pelas costas se isso servir aos seus interesses. Essas pessoas são peritas em autodesignação e, por causa de seu orgulho, recusam-se a admitir que não sabem tudo o que há para se saber.

Os tipos que reclamam

Você é íntimo dos que reclamam, resmungam e de outros tipos negativos – certamente há alguns entre os seus conhecidos. De acordo com essas pessoas, a única coisa que a vida tem a oferecer é má sorte. Sua principal característica é gostar de reclamar – achar a solução para sua desgraça eliminaria a razão primária de sua existência! Sua única missão parece ser jogar um balde de água fria em qualquer um que demonstre entusiasmo por alguma coisa. O problema é que sua atitude é tóxica: sua doença é contagiosa – e, portanto, perigosa.

Os tipos fechados

Este último tipo é como um molusco, que não diz nada ou, no máximo, fala sobre o tempo – sem dizer o que pensam ou sentem. Essas pessoas limitam sua comunicação a gemidos e grunhidos. Num dia especialmente bom, você pode conseguir arrancar-lhes um "sim" ou um "não".

Lidando com pessoas difíceis

Não se desestimule se, frequentemente, você se vir em confronto com pessoas difíceis. Há uma boa variedade de métodos para lidar com esse tipo de situação. Você pode atingir seus objetivos sem precisar recorrer à força. Há um grande número de armas à sua disposição e a eficácia delas irá surpreendê-lo, desde que você aprenda a usá-las.

Proteção interior

A primeira condição para ser bem-sucedido ao lidar com pessoas difíceis é tornar-se impermeável. A diferença entre alguém que é vulnerável e outro que aparenta ser indestrutível é a habilidade final em construir uma proteção interior. Abaixo há alguns pontos que devem ser trabalhados para se conseguir isso.

Palavras. Seja para defender-se ou fortalecer seu ponto de vista, você pode aprender a usar as palavras habilmente e torná-las suas aliadas. Veremos mais para a frente os princípios de como usar as palavras efetivamente.

Negociação. Esta é uma arte, já que sua vida é uma sucessão de transações que estão abertas à negociação. Mais tarde mostraremos como tornar-se um vencedor nas transações com pessoas difíceis.

Humor. Esta pode ser uma arma poderosa, tanto usada para extrair o drama da situação como para controlar seus sentimentos agressivos. Isso pode desarmar várias bombas e tirar você da jaula do leão sem um arranhão.

Capítulo 1

Do Que Você é Feito

Você entra numa sala cheia de pessoas. A conversa para e as cabeças viram em sua direção. As pessoas te reconhecem e dizem "olá". Alguns vêm sorrindo e apertando a mão, outros continuam com a discussão. Você anda e para ao lado de um conhecido.

Uma cena como essa depende de dois elementos que são independentes e vêm da sua personalidade: o primeiro é a imagem que você projeta por meio de sua aparência física, voz, aperto de mão e gestos. O segundo elemento é a sua personalidade, que é uma dimensão muito maior a seu respeito e bem mais difícil de apontar com precisão do que sua imagem.

Na teoria, sua imagem deveria ser um simples reflexo de sua personalidade. Mas você sabe muito bem que geralmente não é assim! Qualquer um pode modificar sua imagem de forma melhor ou pior. Porque nós tentamos apresentar uma imagem mais favorável e incrementada a nosso respeito para o mundo exterior é que você não deve confiar inteiramente na imagem para julgar a personalidade de alguém – as duas podem ser extremos opostos. Quando não contamos com nada além da imagem de alguém, é mais difícil fazer além de um julgamento superficial.

Quatro forças que determinam sua personalidade

Sua personalidade é formada por muitos fatores que não foram totalmente identificados pelos psicólogos e que costumam ser temas de ferozes controvérsias. Apesar de tudo, é útil conhecer as quatro principais forças que se combinam para determinar sua personalidade: necessidades emocionais, necessidades econômicas, modelos e valores.

Suas necessidades emocionais e econômicas

Se você cresceu em uma atmosfera calorosa e amorosa, é mais propenso a esperar que os outros gostem de você e nunca será mesquinho com seu afeto. Similarmente, se cresceu com uma privilegiada situação econômica, tem muito menos chances de se tornar um miserável. No entanto, se sua família não demonstrava muito carinho, isso não significa que você seja incapaz de sentir ou expressar amor – isso apenas quer dizer que será mais difícil amar a si mesmo e aos outros. Nem quer dizer que, só porque você ganhou seu dinheiro com seu próprio suor e foi uma criança pobre, irá se tornar automaticamente um miserável. Longe disso! Mas sua atitude com as classes privilegiadas tende a ser diferente da de quem nasceu com uma colher de prata na boca.

Se você sempre foi incentivado e apoiado em suas tentativas, qualquer que elas tenham sido, então, provavelmente, tem uma boa dose de autoconfiança. Você sabe seu valor e é consciente de suas capacidades intelectuais e certamente não se encaixa na categoria de vítima eterna. Por outro lado, se as pessoas importantes para você sempre o põem para baixo ou não confiam na sua inteligência, então, provavelmente, será uma vítima perfeita para as pessoas difíceis. Você tem problemas em se afirmar e sempre tenta se colocar por cima da situação – sem necessariamente ter sucesso.

Seus modelos

Os modelos que você escolhe para seguir, consciente ou inconscientemente, também exercem importante influência no seu comportamento. Na primeira infância, você provavelmente se moldou sobre um de seus pais e, inconscientemente, o imitou. Um pouco depois, deve ter escolhido um amigo ou professor com quem tinha um relacionamento próximo, ou uma pessoa famosa, um colega, um superior, um parceiro e por aí em diante.

Seus valores
Seus valores são formados por sua educação, ambiente, estudos, trabalho, viagens, convicções religiosas e conceito do certo e errado.

Você é capaz de se afirmar?

Este é um ponto muito importante. Avaliar sua capacidade de se autoafirmar irá lhe dizer como orientar seu treinamento. Os exercícios a seguir o ajudarão a fazer uma autoavaliação honesta. Para ter uma discussão sensata com uma pessoa difícil, você tem que saber como se afirmar e também conhecer seus pontos fracos para proteger-se. As pessoas que você julga difíceis podem não ser consideradas assim pelos outros: ''objetividade'' é uma palavra que não existe no dicionário das relações humanas.

Questionário: Você é autoafirmado?

Responda às seguintes questões circulando ou SIM ou NÃO.

1. Você acredita que as pessoas são francas
   e honestas com você?   SIM   NÃO

2. Você é capaz de rir de si mesmo?   SIM   NÃO

3. Você pode listar cinco pessoas que tiveram
   forte influência – positiva ou negativa
   – em sua vida?   SIM   NÃO

4. Você se considera justo com os outros? SIM   NÃO

5. Você acha uma boa ideia listar seus defeitos
   e suas qualidades?   SIM   NÃO

6. Você se interessa em se avaliar
e a sua vida?   SIM   NÃO

7. Frequentemente você se decepciona
com os outros?   SIM   NÃO

8. Você acha que o controle total de suas
emoções é necessário para se autoafirmar?   SIM   NÃO

Respostas

Marque um ponto para cada resposta correta.

1. Sim. É importante que os outros sejam honestos com você. Mesmo que a verdade nem sempre seja boa de se ouvir, ela é um importante passo a caminho da maturidade e da autoafirmação. Se tiver a impressão de que as pessoas ao seu redor têm medo de dizer a verdade, então você, provavelmente, é uma dessas pessoas difíceis que tornam as relações humanas um assunto tão polêmico!

2. Sim. A maioria dos psicólogos concorda que ser capaz de rir de si mesmo significa que se conhece e pode julgar-se sem ressentimentos.

3. Sim. Todos nós somos influenciados por outras pessoas. Se você respondeu não, então não está sendo honesto consigo. Você se recusa a reconhecer a influência das pessoas com quem se associa e é possível que se encaixe em uma das categorias de pessoas difíceis, ou do tipo agressivo ou sabe tudo (veja Capítulo 2). Reserve um tempo para listar as pessoas que influenciaram – é um ótimo exercício.

4. Sim. Se você quer que as pessoas sejam justas contigo, o mínimo que pode fazer é retribuir o favor.

5. Sim. Faça duas listas: uma de suas qualidades e outra de seus defeitos. Então escolha alguém que te conheça bem e que seja confiável para dar sua opinião. Se você não conseguir pensar em alguém para perguntar, este pode ser um sinal de que não está sendo honesto consigo mesmo.

6. Sim. Se você não se interessar, vai acordar um dia e perceber que sua vida perdeu o sentido, que vive para trabalhar em vez de trabalhar para viver e que sua vida pessoal se tornou um simples hábito.

7. Não. Claro que às vezes nós nos desapontamos com os outros, mas devemos sempre nos perguntar se estamos tentando transferir a culpa para os ombros de outra pessoa, ou se estamos nos vendo como realmente somos.

8. Não. Não é real nem saudável gastar seu tempo tentando controlar suas emoções. Entre outras coisas, você perde o contato consigo mesmo. Por exemplo, se você sabe que uma dada situação o irrita, tente evitá-la. Mas, por outro lado, se reconhecer sua carência de afeto e satisfação, tente supri-las e se tornará uma pessoa mais completa a quem os outros irão querer conhecer.

Resultados:

0-2: Você não se vê como realmente é. Alguns podem achar difícil lidar com você. Se não reconciliar a forma como se vê com a sua forma real, não será capaz de ser autoconfiante e de tornar-se uma pessoa mais completa e vitoriosa ao enfrentar pessoas difíceis.

3-5: Você tem certos momentos de lucidez mas, infelizmente, não se dá tempo para uma séria autoavaliação. Esforce-se – o sucesso está batendo em sua porta.

6-8: Você se conhece, é honesto consigo e, provavelmente, com os outros também. Você precisará de um mínimo esforço para aprender a lidar, de forma bem-sucedida, com pessoas difíceis. Sua maturidade o faz preparado para aceitar o que a vida tem a oferecer – alegria, tristeza, diversão, sucesso e falhas.

Você é uma presa fácil para pessoas difíceis?

Como você já percebeu, algumas pessoas nunca reclamam das outras. Para elas não há nada semelhante a uma pessoa difícil, parecem ter um grande talento para as relações humanas e são rodeadas por pessoas que demonstram grande afeição e admiração por elas. Além disso, esses privilegiados sempre parecem saber exatamente o que dizer para resolver uma situação complicada. *Como eles fazem isso?* Essas pessoas talentosas têm a habilidade de instilar todos seus relacionamentos pessoais com boa eficiência. São confiantes e completas e não temem a rejeição ou hostilidade dos outros. Você é um membro desse grupo privilegiado? Se não tiver certeza, responda ao questionário a seguir circulando o SIM ou o NÃO.

Questionário: Você é suficientemente eficiente?

1. Você fala de suas conquistas para impressionar as pessoas? SIM NÃO
2. Você tem dificuldade em dizer não? SIM NÃO
3. Você sente que seu parceiro não o compreende? SIM NÃO
4. Você facilmente é afetado pelo mau humor ou depressão dos outros? SIM NÃO
5. Você acha difícil ficar sozinho sem sentir culpa? SIM NÃO
6. Você tem dificuldade em se afastar de pessoas que ache chatas ou desagradáveis? SIM NÃO
7. Você tende a se justificar sempre? SIM NÃO

Resultados:
Cada SIM representa um aspecto de seu comportamento que deve ser trabalhado. Se você não modificá-los continuará sendo uma presa fácil para as pessoas difíceis. Para elas você é a vítima perfeita: consideram-no fraco, o que o deixa irritado rapidamente!

Aceite-se como você é

David é um corretor de títulos que perdeu seu emprego há um ano, quando sua companhia foi comprada por uma grande corporação. Ele não conseguiu achar outro emprego desde então: sempre que vai a uma entrevista de emprego, algo acontece – ele sente, imediatamente, aversão pela pessoa que está sentada do outro lado da mesa e perde toda a sua autoconfiança. Quando David tenta contatar antigos conhecidos para ver se podem ajudá-lo, todos eles parecem ávidos para escapar o mais rápido possível – mesmo antes de ele ter pedido ajuda. Algumas sessões com um consultor de desenvolvimento pessoal abriram os olhos de David para várias coisas. Ele compreendeu que era o único responsável pela situação. Por ter perdido a autoafirmação e a autoconfiança, ele sentia uma constante necessidade de se reafirmar, gabando-se, soltando nomes importantes durante a conversa (como se tais pessoas fossem suas conhecidas íntimas) e irritando seus ouvintes com exagero de detalhes sobre suas explorações. Infelizmente, ninguém foi enganado e David tornou-se vítima de sua própria falta de amor-próprio. Não é estranho que ele não vá bem nas entrevistas de emprego!

Se você quer se afirmar para tornar-se um vitorioso em seus encontros com pessoas difíceis, tem de aprender a se aceitar como é. Se quiser manter relacionamentos frutíferos com os outros, a primeira condição para o sucesso é parar de se pôr em condição de inferioridade – então, preste atenção aos seguintes conselhos!

Evite irritar-se

Se você achar o comportamento de alguém horrível, ignore – especialmente se não estiver diretamente envolvido na situação. Mostrando-se ultrajado, você adota uma atitude de vítima e, automaticamente, põe-se em uma posição inferior. Se permitir que o manipulem emocionalmente, não conseguirá atingir a vitória quando confrontar-se com pessoas difíceis. Quando se sentir irritado com as atitudes de pessoas que realmente influenciam sua vida, despreze-as. Aprenda a dizer "e daí?" para você mesmo.

Exercício: desenvolvendo serenidade e autoconfiança

• Nos próximos dias, tome nota de qualquer evento, atitude ou comportamento que você achar horrível ou insultante.
• Analise cada evento. Quanto ele trabalha a seu favor? Seja totalmente honesto com você.

Já que este exercício irá gradualmente tornar-se parte do dia a dia, você perceberá que os eventos que, antes, achava ultrajantes ou desconcertantes irão afetá-lo menos. Você adquirirá mais autoconfiança e um senso de serenidade interna – e sua pressão sanguínea diminuirá!

Melhore sua aparência

Como as relações humanas são passageiras, os primeiros minutos de um contato costumam ser decisivos para determinar o futuro da relação. Mesmo sabendo que a aparência frequentemente nos engana, é fato que muitas relações começam ou terminam devido a ela.

A aparência também é importante no desenvolvimento da autoestima. Você ficará menos propenso a pegar para si o papel de vítima se estiver bem preparado, se passar a impressão de ser alguém que se cuida e gosta de sua aparência física. Lembre-se: você não terá chances de chegar ao topo se mostrar sinais de inferioridade já no início.

Exercício: avaliando sua aparência

1. O que você acha de sua aparência atual?
2. Faça uma lista com o que você gosta e outra com o que não gosta em você.
Eu gosto:

Eu não gosto:

3. Agora, como você tentaria realçar seus aspectos positivos e diminuir os negativos?
Para realçar meus aspectos positivos eu poderia:

Para diminuir meus aspectos negativos eu poderia:
Suas roupas combinam com você? Se não tem certeza, peça um conselho. Se conhecer alguém que acha ter bom gosto, estará fazendo um elogio a essa pessoa perguntando isso – como bônus, ainda pode ganhar um amigo e bons conselhos sobre roupas.

Aprendendo a dizer não

Vamos encarar isso: é muito mais difícil dizer não do que sim. Se for honesto consigo, admitirá que frequentemente diz sim querendo dizer não: Você tem que trabalhar noite adentro quando pretendia sair com sua esposa – mas não ousaria dizer não ao seu chefe; concorda em cuidar do filho de uma amiga sábado à noite quando você realmente preferia fazer algo sozinha; e por aí vai. E toda vez você diz que isso não vai acontecer novamente.

Medo da rejeição

A força que motiva a inabilidade em dizer não é, normalmente, o medo da rejeição. Esse medo, no entanto, não é uma ameaça real: você não perde o afeto ou o respeito de um amigo apenas porque se recusa a fazer algo por ele ou ela. Se isso ocorrer, esta pessoa não merece seu carinho e, menos ainda, seu respeito!

Sempre dizer sim quando realmente se quer dizer não irá torná-lo uma pessoa amargurada e, desnecessariamente, estressada. Se quiser se autoafirmar e lidar, de forma bem-sucedida, com situações difíceis, você terá de aprender a dizer não com tato, educação e gentileza – mas também com firmeza. Você será respeitado e poderá descobrir que pessoas, antes difíceis de lidar, se tornarão mais fáceis.

Exercício: aprendendo a dizer não

Para cada uma das situações abaixo escolha a resposta que você acha melhor.

1. Sua sogra telefona pedindo para que você a leve às compras sábado à tarde. Você preferia ficar em casa. Qual sua resposta?
    a. "Desculpe-me, mas eu tenho dentista marcado." (Você não tem realmente esse compromisso.)
    b. "Eu não gosto de ir às compras. Acho chato. Tenho coisas mais importantes a fazer."

    c. "Você se importaria em adiar isso para outra tarde? Eu preciso descansar neste fim de semana."

2. No final de um dia exaustivo, seu chefe pede para que você leve alguns documentos para casa e estude-os à noite. Você responde:
    a. "Sinceramente! Eu tenho coisas mais importantes para fazer com as minhas noites!"
    b. Arranja alguma desculpa.
    c. "Eu estou muito cansado para trabalhar esta noite. E se em vez de fazer isso hoje eu fizesse sábado de manhã?"

3. Seu parceiro convida para jantar uma pessoa que você não suporta. Você diz:
    a. "Está bem, faremos isso desta vez, mas da próxima me avise antes para eu poder fazer outros planos."
    b. Você concorda em receber a pessoa para seu parceiro não ficar bravo.
    c. Você sai e deixa seu cônjuge entreter o convidado sozinho.

Respostas:

1. A melhor resposta é a "c". Pode ser perigoso arranjar desculpas ("a"), pois você pode ser descoberto depois, principalmente tratando-se de alguém que você vê frequentemente. "B" é sem tato, quase chega a ser rude; sua sogra provavelmente iria se sentir ofendida.

2. Mais uma vez, a melhor resposta é a "c", pelas mesmas razões.

3. A melhor resposta é a "a". Você calmamente deixa sua posição clara, concordando com o convite pela última vez. Você também pode optar pela última resposta – deixar seu cônjuge sozinho com o convidado. Dessa forma todos provavelmente viverão melhor, inclusive você!

Fique atento para situações similares que podem melhorar sua vida e faça uma lista de possíveis respostas. Aos pouquinhos você aprenderá a dizer não.

Capítulo 2

Tipos Agressivos

Desculpe-me, senhor, explica o vendedor, "mas a garantia já acabou. De qualquer forma, o senhor não pode culpar-nos por sua torradeira não estar funcionando. O senhor, provavelmente, fez alguma coisa..."

"O quê? Isso é algum tipo de piada?", o cliente replica com raiva. "Que tipo de loja é essa! Vocês vendem itens com defeito e têm a coragem de me chamar de mentiroso!"

"Imagine, senhor. Tente se acalmar", resmunga o vendedor. "Não era isso que eu estava tentando dizer..."

"Ah! Eu sei muito bem o que você estava querendo dizer! Quero falar com o gerente! Ao menos ele deve ser um pouco mais competente que você..."

• • •

"Esta apresentação está um desastre", murmura o vice-presidente olhando para os *layouts* de uma campanha publicitária. "O cliente jamais aprovará isso."

"Um desastre!" exclama indignado o diretor encarregado do projeto. "Do que você está falando? Nós achamos muito boa e estamos dentro do orçamento! Todos acham esta campanha ótima."

"Todos? Quem são todos? Você se refere ao grupo de idiotas que trabalham para mim? Vocês nem são capazes de fazer uma apresentação decente!"
"Mas senhor...", diz o diretor de arte.
"Saia daqui antes que eu fique furioso! Vá refazer isso!"

Pessoas difíceis são, primariamente, tipos agressivos, hostis e arrogantes – tidas como um verdadeiro "rolo compressor". Pessoas dessa categoria parecem não agir apenas com base em seu próprio comportamento ou reações mas também com base em você. Elas parecem acusá-lo de existir e você pode acabar acreditando que não gostam ou mesmo odeiam você e que têm o direito de ser verbalmente brutas devido à sua posição superior.

Quando descobrem o quanto podem aterrorizar e humilhar suas vítimas, assim que se vêm em posição de autoridade, os tipos agressivos passam a contar com os efeitos que seu comportamento produz nos outros.

Pessoas com características dominadoras e antagônicas são muito difíceis de se conviver ou trabalhar. Elas são difíceis com as pessoas ao seu redor e consigo mesmas. Frequentemente são raivosas e raramente são hábeis em compartilhar momentos de puro prazer. Acham que o único jeito de conseguir alguma coisa de alguém é por meio de críticas e ameaças.

O que fazer quando estiver diante de um "rolo compressor"

Em situações semelhantes às que acabamos de descrever, você deve adotar a seguinte estratégia:

Recuse-se a ceder um centímetro que seja de seu território. Um "rolo compressor" tem uma boa noção de como seu comportamento irá afetá-lo; está habituado a intimidar os outros e conseguir o que quer. Se você resistir aos insultos e à hostilidade, irá tirá-lo do sério. É aí que você pode tomar o controle da situação e sugerir uma atitude mais aceitável. Vamos dar uma olhada no primeiro cenário:

"O quê? Você está tentando zombar de mim?", o cliente replica com raiva.

"Que tipo de loja é essa! Vocês vendem produtos com defeito e não admitem! E você ainda tem coragem de me chamar de mentiroso!"

"Imagine, senhor", replica o vendedor, calma mas firmemente. "O senhor me entendeu mal, se quiser deixar sua torradeira conosco, ligaremos assim que descobrir o defeito e daremos uma estimativa dos consertos. Se isso não for satisfatório, talvez queira falar com o gerente."

A situação foi modificada e o vendedor tirou algumas das bases da hostilidade do cliente:

- Não ficando nervoso ou na defensiva, os insultos do cliente agressor somem;
- Sugerindo uma linha simples e lógica para agir, o vendedor mantém a discussão em uma estrutura realista;
- Propor um encontro com o gerente faz com que o cliente tenha de pensar duas vezes. Se a loja tivesse alguma culpa, vendedor sugeriria um encontro com o gerente? Provavelmente, não. Além disso, o gerente é muito menos propenso a se intimidar do que o vendedor.

Tudo o que o cliente pode fazer é aceitar a solução proposta pelo vendedor ou pegar a torradeira e ir embora. Em ambos os casos, o vendedor continua no controle da situação.

Dê à pessoa uma chance de se acalmar. Às vezes é impossível não reagir quando uma pessoa agressiva explode ou te intimida, mas evite pôr lenha na fogueira. Você deve deixar a pessoa se acalmar e então obrigá-la a justificar seu comportamento. Vamos rever o segundo cenário:

"Esta apresentação está um desastre", gemeu o vice-presidente. "O cliente jamais aprovará isso."

"Por quê?", pergunta calmamente o diretor de arte.

"Por quê? É óbvio! Ao menos vocês deveriam conseguir ver que isso nunca dará certo!"

"Exatamente. Eu ficaria muito feliz se o senhor pudesse explicar detalhadamente por que essa campanha é um erro e, especialmente, por que o cliente não irá aprová-la. O senhor tem muito mais experiência do que nós. Vamos esperar um pouco. Vou buscar um cafezinho..."

Mais uma vez a bomba foi desarmada. O diretor de arte sem, de forma alguma, se diminuir:

- Forçou o vice-presidente a justificar sua raiva e opinião negativa sobre o projeto.
- Não se enervou, ao menos não o demonstrou, com o sarcasmo do vice-presidente.
- Deu ao vice-presidente a chance de se acalmar enquanto foi buscar o café.

Se o vice-presidente persistir na agressividade vai ficar parecendo um tolo, principalmente se o diretor de arte se mantiver calmo. Pessoas agressivas, mais do que qualquer outra, não gostam de passar por tolas.

Procure uma forma de diminuir as proporções. Se você está lidando com um "rolo compressor", deve, a todo custo, tentar diminuir as proporções da situação. Se responder à hostilidade com hostilidade, apenas estará alimentando a agressividade dele. Os "rolos compressores" têm prazer com o antagonismo, mas se você puder achar um caminho para concordar com alguém que sistematicamente discorda de tudo, eles irão ficar desorientados – para discordar de você terão de discordar de si próprios.

Tipos cirúrgicos

"Pelo que conheço do seu marido, ele não é do tipo que vai ficar sentado, deprimido, enquanto você estiver fora", diz um geólogo para sua colega durante uma viagem de estudo do meio, de duas semanas.

"Não me surpreende que você não possa trocar um pneu", diz o marido para sua esposa. "Por que você seria diferente das outras mulheres?"

Esses tipos de afirmação são típicos de tipos agressivos cirúrgicos, que têm prazer em machucar os outros rapidamente e depois cutucar mais um pouco. Seus comentários incisivos podem ter muitas formas: duplo sentido, sarcasmo, excesso de piadas sobre uma terceira pessoa, etc.

Por exemplo, enquanto uma pessoa do grupo está expressando uma opinião, o tipo cirúrgico tentará roubar a atenção para si, virando os olhos com repugnância. Isso lembra alguém que você conhece?

Hostilidade disfarçada

Nem todos os tipos agressivos demonstram abertamente sua hostilidade como os "rolos compressores". Pessoas que disfarçam sua hostilidade e dão uma falsa impressão, fingindo ser amigáveis à primeira vista, são muito mais perigosas. Elas preferem métodos mais sutis de ataque, porque, na verdade, são covardes. Nunca ousam ser abertamente agressivas porque têm medo de que os outros fiquem com raiva delas. Sendo hipócritas elas podem sempre alegar que não pretendiam mal nenhum. Dessa forma, evitam ter de enfrentar a hostilidade de frente – que é exatamente o que as torna vulneráveis, como veremos um pouco mais adiante. No entanto, antes de essas pessoas serem descobertas, elas costumam já ter conseguido causar diversos danos.

Agressores cirúrgicos, por exemplo, falam de forma tranquila, frequentemente com um leve sorriso. Por dentro, têm um enorme prazer em ver a vítima sofrendo passivamente ou em ver a confusa reação emocional que causaram com um simples gesto ou frase que lhe atingiu diretamente o coração. Agressores cirúrgicos são, notoriamente, covardes. Eles não merecem sua compaixão e têm conhecimento do mal que causam. Você precisa contra-atacar: deixe seus escrúpulos de lado e afirme-se – não se deixe tornar um bode expiatório.

Qual estratégia você deve usar?

Você tem duas opções para escolher, ambas igualmente eficazes. Tudo depende do que você sabe sobre o agressor e de achar o seu ponto fraco. As duas estratégias requerem um bom grau de autocontrole; afinal, um comentário afiado de um agressor cirúrgico pode machucar muito mais do que um insulto explosivo vindo de um "rolo compressor". Vejamos o que nossa geóloga poderia ter feito em relação ao comentário maldoso de seu colega:

"Pelo que eu conheço do seu marido ele não é do tipo que vai ficar sentado, deprimido, enquanto você estiver fora..."

"Você está certo quanto a isso", diz a geóloga. "Ele tem muita energia. Tem que pintar a garagem e o quarto de nosso filho está precisando de mobília nova."

A princípio, isso deveria ser suficiente para parar o agressor. No entanto ele poderia insistir dizendo algo como: "Não foi isso que eu quis dizer..."

Ao que ela deveria responder: "Sério? O que exatamente você quis dizer?"

Agora, o agressor está encurralado e tem que ser direto, o que essas pessoas não conseguem fazer e a razão pela qual recorrem aos ataques indiretos. Eles irão mudar de assunto ou tentar se safar fazendo alguma piadinha.

Vamos ver o segundo exemplo:

"Não me surpreende que você não possa trocar um pneu..."

Ao que a esposa pode contrariar dizendo algo como

"Não te surpreende? Isso é interessante. Vamos falar sobre isso. Venha se sentar aqui. Acho isso fascinante – eu poderia falar sobre isso o dia todo, você não"

O homem, de repente, se lembrará das inúmeras coisas que tem para fazer, já que o feroz ataque foi tão bem desarmado.

A segunda manobra consta de dois passos. O primeiro consiste em tratar o ataque de uma maneira impessoal. Esta é a maneira lógica de conquistar a vitória. Se você estiver em confronto com um *expert* em agressão cirúrgica, isso lhe permitirá:

- Dar um tempo antes de contra-atacar;
- Retomar o controle de suas emoções (provocar uma resposta emocional é uma forma de deixar seu adversário marcar pontos);
- Privar o agressor da satisfação, pois o comentário parecerá não tê-lo atingido de forma alguma.

O que pode ser mais frustrante para um agressor do que confrontar-se com um robô em vez de com uma vítima emotiva? Você não tem que sair de cena – pode ficar onde está. No entanto, se o comentário for especialmente desagradável ou se você sentir que tem de tomar uma posição agora e para sempre, pode usar sua vantagem para dar o golpe final. Vamos ver como isso pode funcionar na prática:

"Pelo que eu conheço de seu marido, ele não é do tipo que vai ficar sentado, deprimido, enquanto você estiver fora..."

A colega replica: "A teoria de que todos os homens perseguem as saias assim que suas mulheres viram as costas por um minuto se originou na incapacidade de aceitar o sucesso feminino e em procurar se vingar de todas as mulheres. Você se encaixa nessa categoria?"

A mesa virou – agora o agressor está na defensiva. Continuar a discussão poderia significar arriscar-se a uma atitude machista. Vamos ver o segundo exemplo:

"Não me surpreende que você não possa trocar um pneu ..."

A esposa replica: "O conceito de a mulher ser inferior parece prevalecer entre os homens mais velhos, principalmente naqueles que são inseguros quanto às suas habilidades – intelectual e outras. Mas eu fico surpresa em ouvir algo assim vindo de você, querido!"

É pouco provável que num futuro próximo o marido vá repetir esse tipo de ataque...

Um último aviso

Antes de pôr as estratégias que aprendeu em prática, tenha certeza de que está sendo confrontado com hostilidade. Parece óbvio? Mas não é. Pessoas que não são difíceis ou agressivas podem facilmente ser enganadas pelas aparências. Então, antes de se irritar com o comportamento de uma pessoa que você julgou ter sido hostil ou agressiva, faça a si mesmo algumas perguntas:

- Como as outras pessoas reagem ao comportamento deles?
- O comportamento deles pode ser justificado (mesmo que numa situação idêntica você fosse agir de forma diferente)?
- Eles estão apenas interpretando para conseguir o que querem?
- Eles estão apenas utilizando a situação para liberar um pouco de sua raiva?

Fazer essa distinção é importante: se você não puder diferenciar um real agressor de um comportamento que nada tem a ver com o seu, estará correndo o risco de provocar uma hostilidade que, aí sim, seria muito mais difícil de ser controlada. Por exemplo, uma advogada teve um dia desgastante no tribunal e, ao chegar em casa, vê que seu parceiro não preparou o jantar. Seus nervos estão à flor da pele e ela está exausta, mas seu treinamento profissional a instruiu a não descarregar sua insatisfação nos colegas ou superiores. Em vez disso, ela ataca seu parceiro. Agora, se não entender que sua hostilidade é devida ao dia difícil que teve no trabalho, ele será agressivo e uma grande briga se iniciará, com agressões vindas dos dois lados. Então tenha certeza da necessidade de suas ações. Senão, você arrisca-se a destruir ou ferir uma relação importante.

Seu programa de exercícios

Se você quer adquirir o hábito de reagir corretamente quando confrontado por pessoas agressivas, precisa praticar. Ser capaz de fazer o comentário certo, ficar calmo e evitar entrar em brigas não é coisa que se aprenda da noite para o dia.

Exercício: confronto

Complete uma das seguintes discussões a cada dia, usando as técnicas que você aprendeu. Sugira, ao menos, três ou quatro respostas para cada uma das situações. Alguns exemplos de boas respostas encontram-se no final do capítulo.

1. Mãe para filha: "Se você tivesse o mínimo de respeito por mim nunca se vestiria assim para ir a algum lugar em que eu fosse te levar."

Sua resposta:

2. Cliente para o diretor assistente: "E você está me dizendo que ele não está aqui? Depois de eu ter vindo de duzentas milhas de distância para vê-lo! Você sabia que eu viria esta manhã e não disse a ele? Como um idiota como você pode ter um emprego?"

Sua resposta:

3. Adolescente para o pai: "Sinceramente, pai, ao menos você deveria ser capaz de entender que eu preciso do carro no mínimo uma noite por semana!"

Sua resposta:

Exercício: ouvindo os outros

Mantenha um pequeno caderno sempre com você e ouça as conversas ao seu redor. Quando ouvir uma pessoa agressiva tome nota do que ela disse. Então, quando tiver um tempo livre, complete a discussão como se você estivesse sendo o agredido e aplicando as técnicas que aprendeu.

Exercício: faça um diário

Quando nos irritamos com uma pessoa agressiva, frequentemente pensamos em um comentário que poderíamos ter usado para colocá-la em seu lugar quando já é tarde demais. Mantenha um diário com as discussões com pessoas difíceis e/ou agressivas, utilizando o seguinte modelo:

Local e data:

Situação:

1. O que a outra pessoa disse:

2. Como eu respondi:

3. Como eu deveria ter respondido:

Exemplos de respostas:

1. Mãe para filha: "Se você tivesse o mínimo de respeito por mim nunca se vestiria assim para ir a algum lugar em que eu fosse te levar."

Possíveis respostas:

"Mãe, de onde você tirou a ideia de que eu não te respeito?"
"Esta ideia de respeito é muito interessante. Vamos conversar mais sobre isso..."
"Por que você acha que eu não te respeito?"

2. Cliente para o diretor assistente: "E você está me dizendo que ele não está aqui? Depois de eu ter vindo de duzentas milhas de distância para vê-lo! Você sabia que eu viria esta manhã e não disse a ele? Como um idiota como você pode ter um emprego?"

Possíveis respostas:

"Senhor, eu entreguei sua carta ao gerente. Se quiser fazer uma reclamação ao presidente da companhia eu ficarei muito feliz em fornecer o nome e o endereço dele. Será que eu posso explicar por que o gerente não pode vê-lo hoje?"
"Senhor, eu sinto muito que tenha vindo de tão longe por nada, mas se perguntar à sua secretária verá que tentamos entrar em contato esta manhã, quando o gerente ficou sabendo que teria de cuidar de uma emergência. Mas se o senhor quiser apresentar queixa ao presidente...."

3. Adolescente para o pai: "Sinceramente, pai, ao menos você deveria ser capaz de entender que eu preciso do carro no mínimo uma noite por semana!"

Possíveis respostas:

"Você está tentando me dizer que eu sou diferente dos pais de seus amigos? Talvez possamos discutir isso se você tiver um tempinho. Estou interessado em saber exatamente o que pensa de mim."

"É natural que os adolescentes achem que todos estão unidos contra eles. Você gostaria de falar mais sobre isso?"

"Adolescentes que não são muito maduros parecem acreditar que a única razão de seus pais existirem é para dizerem não. Eu não acho que você pertença a essa categoria."

Capítulo 3

Tipos que Reclamam e Outros Tipos Negativos

"*E*u sei que você mora muito longe, Martin, mas é importante para o trabalho que estamos fazendo aqui que você chegue na hora certa pela manhã. Eu realmente agradeceria se fizesse esse esforço."

"Você pôs toda a responsabilidade em meus ombros. Sabe que não é minha culpa se eu chego atrasado. O ônibus é lento, costuma ter trânsito...Por que sempre eu fico com a culpa quando os outros estão tão em falta quanto eu? Antes de você começar a trabalhar aqui, ninguém reclamava do meu atraso..."

Acusações mútuas, reclamações de inocência, sugestões de injustiça no mundo – os que reclamam são o tipo mais difícil de pessoas. Elas não provocam a confusão mental característica dos tipos agressivos, mas mesmo as pessoas mais simpáticas e gentis acabam por não suportá-las!

Os tipos que reclamam e os outros tipos negativos nunca estão satisfeitos. Se você admira sua aparência, eles dizem algo como "o que você não sabe é que minha pressão sanguínea é alta o suficiente para explodir a qualquer momento..." e por aí em diante, com uma inundação de reclamações sem-fim.

Derrotistas e pessimistas

Provavelmente, você conhece alguém que responde a uma sugestão dizendo: "Isso nunca vai dar certo. Eu tenho certeza..." e que têm a vida cheia de diversos problemas. Para essas pessoas – os derrotistas – tudo de ruim que acontece é causado pelos outros. Somente os que têm sorte podem produzir uma situação favorável e, mesmo aí, eles podem não ser capazes de perceber isso.

Pessimistas acham conforto no pessimismo e usam isso como muleta para atrair a atenção dos outros. Se você tentar ajudar uma pessoa que reclama, ou outro tipo negativo, a se livrar de seus problemas, eles não lhe serão gratos. Afinal, você estará tirando-lhes uma das principais razões de suas vidas! A primeira coisa que farão será procurar outro problema – alguma outra coisa para reclamar!

Vítima eterna

Tipos que reclamam e outros tipos negativos são *experts* em espalhar o veneno de suas mentes. Ouça esta pequena conversa, que, certamente dará a sensação de *déjà-vu*:

> "Até mesmo o número dois não fechou direito ontem, Madeline. Eu me surpreenderia se..."
> "Se você soubesse quão cuidadosa sou para fazer meus totais não viria reclamar comigo... E se não deixasse mais de uma pessoa lidar com o caixa, não teria esse tipo de problema..."
> "Eu sei, Madeline. O contador espera colocar um sistema melhor no lugar desse rapidamente."
> "Um sistema melhor? Mas nós nem temos um sistema! Não é meu trabalho cuidar dessas coisas, mas já que você está me acusando..."

Utilizando-se de grande habilidade, Madeline desviou a culpa dela para seu superior. Ela conseguiu pô-lo na defensiva e evitar o assunto de possíveis erros. No entanto, essa não é a melhor forma para ser promovido – chefes não gostam de assumir que estão errados.

Madeline evitou assumir qualquer responsabilidade pela situação. Ela sempre se pôs no papel de vítima. Embora não seja responsável, de maneira alguma, pelo erro do caixa, ela deixou o chefe em uma situação complicada: ele não pôde dizer nada, pois, se dissesse, provocaria uma cena – a menor crítica é suficiente para que ela se sinta como um cachorro que apanhou.

Influência destrutiva

Tipos que reclamam e outros tipos negativos exercem uma influência destrutiva nas pessoas ao seu redor, frequentemente e sem perceber. Sua presença em um trabalho em grupo pode ser catastrófica. Por exemplo, ouça uma jovem professora de biologia recém-contratada em uma escola particular:

> "Nós temos apenas um microscópio para cada seis estudantes. Isso dá uma ideia de como somos pobres em equipamentos. Como pretendem que eu dê meu curso sem ter um microscópio para cada dois alunos? Nós não temos dinheiro, mas sempre que eu levo a reclamação ao diretor, fico deprimida pelo resto da semana. Seu corretor responde a qualquer sugestão da mesma forma: "Ninguém concordaria, isso nunca dará certo. Tentamos isso há uns anos e não obtivemos sucesso'. Talvez ele tenha razão..."

Como você vê, uma atitude negativa pode ser, facilmente, contagiosa e minar todo o moral do time. Esta é a parte mais perigosa disso tudo. Embora elas encaixem-se na categoria de pessoas difíceis – roubando nosso entusiasmo, energia e prazer de viver –, pessoas negativas não merecem o mesmo tratamento drástico que teríamos com o tipo agressivo cirúrgico.

Ajudando-os – e a você também

É normal as pessoas agirem de boa fé, sem nenhuma má intenção. Nada positivo será alcançado abusando verbalmente delas. A melhor solução é abrir a porta para a prisão da passividade e da futilidade em que vivem – e tentam pôr você para viver também –, recusando-se a entrar no ciclo acusação-defesa-acusação. Se você não puder fazer isso, o outro único caminho é se proteger contra a influência delas mantendo-se indiferente ou afastando-se o quanto antes. Aqui está uma estratégia que você pode usar.

Quais são as queixas deles?

Para fazer isso você, primeiro, tem que ouvir atentamente. É provável que tenha alguém que reclama no seu meio e ninguém realmente o escutou por muito tempo. Deixe a pessoa saber que você está interessado, que entende o que ela está dizendo – mostre que é receptivo aos seus problemas. Por exemplo, vamos dizer que seu cunhado está sempre reclamando do comportamento da esposa (que é sua irmã):

"... e aí ela diz que a culpa de as crianças estarem sempre cansadas é minha. Ela diz que é porque nós não tiramos férias. Mas eu tenho muito a fazer em meu trabalho. Não sou como ela, cujo emprego demanda muito menos que o meu. Faço o que posso, mas com meu novo chefe..."

Isso é como um discurso auto-hipnotizante que seu cunhado vem carregando por um bom tempo. Você tem de interromper isso fazendo algo não-usual. Erga sua mão e diga algo como:

"Espere um pouco! Eu quero entender exatamente qual é o problema. Minha irmã diz que as crianças estão cansadas porque você não sai de férias. Você diz que não pode ir porque tem muito trabalho e, acima de tudo, um novo chefe com quem lidar, certo?"

Mas tome cuidado! Neste ponto, dois tipos de armadilha podem surgir e você, certamente, não quer cair em nenhuma delas. Primeiro, entender não significa concordar. Deixar alguém saber que você o entende não significa concordar com ele. Se fosse assim, você nunca seria capaz de resolver o assunto, já que estaria insinuando se responsabilizar. Isso provavelmente levaria a uma série de novas reclamações. Então, evite dizer coisas como: "Você está certo..." ou "concordo...", que seria a forma mais fácil de pôr um fim à discussão, mas não resolveria nada.

Segundo, evite a todo o custo o triângulo "perseguidor-vítima-salvador". Quando alguém reclama, automaticamente assume o papel de vítima: "Eles fizeram isso para mim... eles não me compreendem... eles não ligam para mim...". A lamúria da pessoa parece ter alguma causa exterior. Onde existir uma vítima haverá um perseguidor. Embora a vítima possa não dizer isso diretamente, você será posto no papel de perseguidor:

"As crianças estão nervosas e difíceis de serem controladas nesses dias porque elas não o veem o suficiente e porque sabem que não sairão de férias..."

"Você sabe muito bem que eu não posso parar de trabalhar..."

Você, no papel de perseguidor, foi bem-sucedido em fazer com que quem reclama se sinta mal, culpado e forçado a justificar-se.

Esse tipo de trocas leva diretamente para um ciclo de "acusação-defesa-acusação", que não levará a lugar nenhum, apenas fará com que ele se sinta a vítima da vez e comece um novo *round* de briga.

Isso pode ficar pior se uma terceira pessoa entrar no ringue, porque sempre que existir uma vítima e um perseguidor haverá uma oportunidade de ouro para alguém ser o salvador! Quando você empresta um ouvido simpático e compassivo para um tipo negativo, está se pondo no lugar de salvador.

No exemplo anterior, vimos como seu cunhado veio a você contar dos problemas com sua irmã. Você pode ter vontade de responder algo como: "Claro que eu entendo e vou falar com ela sobre isso". E lá está você, comprometido com uma função da qual certamente se arrependerá depois. Por quê? Porque num triângulo vítima-salvador-perseguidor, os papéis se trocam com facilidade. Se você for falar com sua irmã bancando o salvador do marido dela, irá se tornar, rapidamente, vítima, já que ela pode mandá-lo ir cuidar da sua vida. Ou interpretará o perseguidor – o acusará de estar defendendo o marido. Ou pode ficar totalmente confuso e não saber a quem ajudar. Não há muitos de nós que nunca tenham caído nesse tipo de armadilhas. Para o seu próprio bem e para o da pessoa que você quer ajudar, é essencial evitar essas armadilhas.

Sugerindo outras opções

Uma vez que você resumiu precisamente a situação, analise cada queixa e sugira outras formas possíveis de ação. Mas seja cauteloso! Você terá que demonstrar sua criatividade e sugerir várias alternativas. Quem reclama, então, tem que tomar uma decisão. Não é para você decidir o que o reclamante deve fazer. Tudo o que você tem a fazer é oferecer opções. Também, se você realmente quiser ajudar a pessoa a sair do ciclo de reclamações, faça com que suas sugestões sejam realistas. Para fazer isso terá que saber mais sobre a situação. Reformule o que tiver compreendido com suas próprias palavras e faça algumas perguntas específicas. Pegando nosso exemplo, primeiro mostre que entendeu o problema e não permita mais reclamações. Se estiver familiarizado com a situação, vá direto às soluções:

"OK, você tem várias opções. Ou fica em casa e sua esposa e filhos vão viajar juntos; ou decide se a felicidade de sua família é mais importante do que agradar seu novo chefe; ou, então, acabe com o problema de sua esposa e faça uma boa imagem para seu chefe."

Ou você pode sugerir uma técnica mais metódica que forçará a pessoa a fazer uma escolha:

"O que você deve fazer para tomar a decisão mais facilmente é pegar uma folha de papel e escrever as vantagens e desvantagens de cada opção. Então, vai poder compará-las e decidir-se."

Tornando-se atento à responsabilidade

Vamos ver os motivos por trás das reclamações feitas por Joana, uma mulher de 45 anos que viveu um período de profundo choque quando descobriu que o marido estava tendo um caso com uma mulher dez anos mais jovem que ela a quem conhecera no trabalho. O divórcio aconteceu rapidamente, abalando totalmente a vida de Joana. Desde então ela não conseguiu retomar seu senso de equilíbrio. Três anos depois, Joana está bem estabelecida no seu papel de reclamante. Ela enfrenta a vida como se tivesse sido vítima de um terrível drama. Sente-se sozinha e abandonada, seus velhos amigos e conhecidos não querem vê-la, cansaram-se de ouvir as mesmas velhas histórias de como ela era maltratada. Então, chega o dia em que ela vem a você ou a mim... Quando demonstramos interesse em saber mais, ela dá asas à velha fonografia e conta sua história. Nós podemos deixar por isso mesmo ou relatar nossas próprias tragédias (quem está na miséria adora ter um companheiro) ou ainda, prudentemente, manter distância. Mas, e se quisermos ajudá-la? Aqui está como proceder:

Primeiro faça a pergunta: "Joana, você gostaria de resolver esse problema?". A resposta certamente será sim, já que quem reclama está sofrendo e quer parar de sofrer, ao menos é o que dizem. Eles sentem-se encurralados porque não sabem o que fazer. É lógico que se Joana disser: "Não, deixe-me sozinha com meu sofrimento", será inútil prosseguir. Mas se ela concordar, não há razão para não tentar:

"Se você quer pôr um fim a isso, terá de responder minhas perguntas com total honestidade. Pronta? Aqui está minha primeira questão: como você se culpa por seu marido ter te abandonado?"

Joana perde a fala. Ela acabou de explicar como foi a vítima inocente e você está pedindo para ela assumir a responsabilidade! Ela olha ao redor, nervosa, procurando ganhar tempo – depois de tudo, ela promete responder com honestidade. Finalmente diz: "Sinceramente, eu não queria que ele me deixasse!"

Você continua: "Está bem, você não queria. Mas de alguma forma deve tê-lo encorajado a isso. Pondo lenha na fogueira, talvez, quando as coisas iam mal?" Joana fica pensativa. Ela revê os eventos de seu divórcio e começa a ver como pode ter tido alguma culpa pelo mesmo, mas ainda não consegue aceitar.

Agora você pode dizer algo como: "Está certo, mas por que você deixou que ele se fosse se queria tanto mantê-lo ao seu lado?". Observe a face de Joana – você verá a maldição que a assombra e condena a uma vida de solidão ir embora. Seu rosto se iluminará... "Você está certo! Eu estava feliz quando ele foi embora, aquele desgraçado..." e sua missão foi cumprida.

Deixe-a sozinha com seus pensamentos por alguns momentos. Ela está começando a ver o divórcio por uma perspectiva diferente, na qual ela não tem mais que interpretar o papel de vítima. O perigo é se ela disser "É, mas..." e recomeçar a contar a velha história com novas racionalizações. Mas com um pouco de habilidade de sua parte, é possível ajudá-la a ver uma nova versão dos fatos, em que ela tem um papel mais positivo e atrativo. Isso é o que ela tem de fazer para se liberar – e você deu-lhe a oportunidade para isso!

Se as coisas vão bem com Joana, podemos pedir-lhe que faça o seguinte:

"Você disse que estava feliz quando ele partiu. Tente lembrar-se o que você fez para encorajá-lo ou provocá-lo a ir embora. Por enquanto, vamos deixar de lado o que não for sua responsabilidade, fale-me sobre o divórcio como tendo sido sua culpa."

Se Joana for capaz de fazer isso, quer dizer que ela está liberada. Pode ser difícil para ela, já que estava tão presa à velha versão dos eventos; mas para o próprio bem dela, faça com que continue. Convença-a a contar a história da maneira que você quer ouvir e, ante o menor deslize para o habitual estilo de reclamações, faça-a parar e corrija-a imediatamente. Dessa forma, Joana irá reconstruir sua autoimagem e se tornará uma pessoa capaz de modificar seus relacionamentos. Mesmo tendo sido responsável por uma mudança negativa no passado, ela pode fazer mudanças positivas no presente.

Impossibilitado ou responsável?

Há diversas formas pelas quais compreendemos nosso espaço no universo. Uma é vendo-nos como um minúsculo ponto em um grande e poderoso universo sobre o qual não temos qualquer controle. De acordo com essa filosofia, eu não posso fazer nada para mudar o que acontece comigo, seja uma coisa boa ou ruim. Sou um prisioneiro no correr da história – esmagado pelas crises econômicas, ameaçado pela violência urbana, amedrontado com a idade. O que posso fazer? Nada! Por exemplo, estou atrasado, porque o tempo estava péssimo, havia um engarrafamento, minha esposa esqueceu de reabastecer o carro após utilizá-lo, tinha um pneu murcho... E por aí em diante. Pessoas que estão sempre atrasadas têm uma imaginação incrível. Elas são inocentes vítimas de forças climáticas, sociais ou mecânicas fora de seu controle. É assim que mantêm a consciência tranquila. Mas o preço que pagam por se esconder atrás de tais argumentos é muito maior do que imaginam: o que elas estão admitindo é que não têm poder sobre si mesmas ou sobre o ambiente em que vivem. Se não têm o poder de chegar no horário, não têm o poder de fazer nada para melhorar sua existência.

Uma das formas de as pessoas se condenarem a uma vida de impotência é abandonar o poder de serem elas mesmas obedecendo a comandos que não percebem. Esses comandos costumam ser proibições, que foram aprendidas desde a primeira infância e foram totalmente esquecidas. Ao menos, esses comandos continuam a exercer uma forte e constante influência em seu comportamento. Tais comandos incluem coisas como: "Seja perfeito! Seja bom! Seja educado! Seja forte (homens não choram...)! Seja rápido! Se esforce!" Um sinal de que alguém está sob a influência desses comandos é quando habitualmente inicia suas frases com "eu deveria...", "eu tenho que...". Você notará um enorme número de frases assim na maneira como os tipos que reclamam e outros tipos negativos se expressam. Por exemplo: "eu tenho que levantar cedo todos os dias...", "eu tenho que ir trabalhar...", "Eu tenho que aguentar o humor de meus clientes...", "eu tenho que estar com uma cara feliz...".

Tornando-se criativo

Para ajudar uma pessoa negativa, seja você ou alguém, faça-a adotar uma compreensão diferente sobre o seu lugar no universo. Ela deverá ficar atenta ao fato de ter um peso e ser capaz de se manter sobre os próprios pés. É verdade que somos rodeados por forças fora de nosso controle, mas também é verdade que temos uma enorme força sobre nós mesmos e sobre nosso ambiente.

Você tem a chance de se ver como poderoso e responsável ou impotente e irresponsável. Para ajudar pessoas negativas, primeiro você deve ajudá-las a assumir a responsabilidade sobre o que fazem e as consequências que resultam de suas ações. Para fazer isso, utilize o seguinte método.

Reclamador: "Eu tenho que levantar todos os dias e ir trabalhar...".
Você: "O que aconteceria se você não se levantasse um dia?".
Reclamador: "Meu chefe me mandaria pro inferno".
Você: "E se você não fosse trabalhar por uns dias, o que aconteceria?".
Reclamador: "Eu seria demitido".
Você: "E se você perdesse seu emprego, então, o que aconteceria?".
Reclamador: "Eu teria muitos problemas para arranjar outro emprego...".
Você: "E se você não conseguisse arranjar outro emprego, o que aconteceria?".
Reclamador: "Provavelmente, minha esposa me abandonaria. Eles cortariam a eletricidade... o telefone... eu teria de me mudar de casa... eu terminaria vivendo nas ruas como um andarilho".
Você: "E o que aconteceria se você vivesse como um andarilho?".
Reclamador: "Eu seria muito infeliz".
Você: Então, se eu entendi direito, se você decidir não se levantar uma manhã, irá se tornar um andarilho e será muito infeliz?"
Reclamador: "Certo".

Você: "Então você prefere acordar cedo a ser um andarilho?".
Reclamador: "Sim".
Você: "Então, você levanta cedo porque esta foi a sua escolha!".
A mesa virou. Se a pessoa escolheu fazer algo em vez de sentir-se obrigada a fazer isso, ela se torna mestre de seu destino – e não pode mais interpretar o papel de vítima. E você pode esperar, pois reclamadores experientes em manter discussões dirão que continuam sendo obrigados a fazer alguma coisa mesmo depois de você tê-los ajudado a ver que escolheram fazer aquilo para evitar consequências desagradáveis ou para conseguir benefícios sólidos! Não seja levado por esses argumentos. Em vez disso, pergunte: "Há alguém apontando uma arma para sua cabeça? E mesmo que tivesse, você não preferiria morrer a fazer algo que achasse inaceitável?". Exemplos de pessoas que escolhem essa opção extrema são numerosos, o que demonstra que podemos continuar no controle de nosso destino e ser responsáveis por nossas escolhas, não importa em qual situação nós estivermos.

Último recurso: enlouqueça-os!

Se, em seus caridosos esforços para ajudar uma pessoa negativa, todos os métodos acima falharam, então você pode escolher não vê-los novamente ou vê-los o mais raramente possível para proteger-se da sua influência negativa. Derrotismo é contagioso e você tem todo o direito de se proteger. Você não lhes deve nada apenas pelo fato de que eles são vítimas e você está bem. Não se esqueça da armadilha perseguidor-vítima-salvador, descrita anteriormente. Se, no entanto, você não está em condições de evitar a pessoa – um parente próximo ou colega ou alguém que você se recuse a abandonar –, um ataque final ainda é possível. Não se esqueça de que há recursos escondidos em todo o mundo, até mesmo quando parecerem irrecuperáveis.

Como vimos, os reclamantes e os outros tipos negativos têm baixa energia; eles andam como se estivessem carregando um enorme peso em seus ombros. Não espere que uma pessoa negativa, já endurecida, se torne altamente motivada, de repente. O que eles devem fazer? Esquecer todas as grosseiras injustiças e tragédias às quais tiveram de resistir até hoje?

Ficar nervoso é um sinal de progresso para essas pessoas. Isso significa ajudá-las a se livrar do peso que as estava esmagando e a se rebelar contra o que acreditam ser seu destino. Elas experimentarão uma onda de energia – mal orientada é claro – que é muito melhor que a existência passiva à qual estiveram presas por tanto tempo.

Provoque-as, pois assim sua raiva estará direcionada para você. Isso pode ser feito desafiando o que disserem e a maneira como disserem. Não as deixe escapar usando palavras e frases que realcem sua imagem de vítima impotente – insista sistematicamente para especificarem com exatidão o que querem dizer e ajude-as a modificar sua percepção dos eventos, assim elas assumirão a responsabilidade por suas vidas. O pior que pode acontecer é a pessoa ficar louca da vida com você – e mesmo isso consistirá em algum progresso! Vamos ouvir John:

> *John:* "É sempre a mesma velha história. Sempre que visitamos os pais dela, temos de nos sentar e ouvi-los pondo-nos para baixo. Todos sabem que não é minha culpa. Sinto-me desencorajado e como se ninguém desse a mínima para mim...".

À medida que você for ouvindo, interrompa sempre que ele disser algo que não for exato:

> *John:* "É sempre a mesma velha história...".
> *Você:* "Sempre? Sempre mesmo? Não teve ao menos uma vez em que tenha sido diferente?".

É claro que houve. Ninguém é sempre igual, então você insiste para que John reformule a afirmação, dizendo: "Muito frequentemente..." ou "Nove entre dez vezes...".

A seguir, você ajuda a pessoa a concentrar-se no lado positivo. Tendo estabelecido a possibilidade de dizer algo como: "E sobre a vez que foi diferente... o que aconteceu então?", você estará forçando a pessoa a se concentrar nos aspectos positivos da situação.

Então, certifique-se de que a pessoa usa "Eu", a primeira pessoa. Esse é um passo muito importante para assumir a responsabilidade por suas ações.

John: "... que nós fomos e visitamos...".
Você: "Nós quem?".
John: "Eu tenho de me sentar lá e aturar...".
Você: "Você tem? Quem disse que você tem? O que aconteceria se você não fizesse isso?" (então você continua com o método do "Eu tenho que... Eu escolhi..." já descrito).
John: "Mas todos sabem que...".
Você: "Todos? Quem exatamente?".

A essa altura, se a pessoa ainda não tiver explodido, ela dirá algo como... "Quem exatamente? Eu sei lá... eu! É, sou eu!".

Agora você pode perguntar: "Você? Bom, como você sabe?". Isso força a pessoa a falar de fatos.

John: "Isso não...".
Você: "O que você quer dizer com 'isso'?".

A pessoa tem de explicar o que "isso" significa. O mau relacionamento com os pais? A própria impotência em influenciar a situação de forma a ser aceita por eles?

John: "Eu estou desestimulado...".
Você: "Desestimulado por quê? Por quem?". (Mais uma vez, insista em fatos concretos.)
John: "Eu tenho a impressão de que ninguém liga a mínima para mim...".
Você: "Ninguém? Ninguém mesmo? Não há ninguém em todo o mundo que goste um pouquinho de você?".

Honestidade forçará a pessoa a admitir que você, ao menos, deve gostar dela, já que está dando-lhe tanto de seu precioso tempo e atenção! Ela terá de reformular a sentença e dizer algo como: "Eu tenho a impressão de que várias pessoas não gostam de mim...". Mesmo assim você deve insistir para que ela revele quem, exatamente, acha que não gosta dela.

Como você pode ver, esse método de fazer perguntas é poderoso. Uma pessoa que reclama e que é desafiada dessa forma acabará revidando ou recusando-se vê-lo de novo. Mas tome cuidado! Não utilize esse método com quem você não conheça muito bem ou com alguém de quem você dependa, como um superior no trabalho. O resultado de seu questionário pode não ser totalmente favorável para você!

Se sentir que seus esforços falharam, persista, mesmo tendo a sensação de estar dando cabeçadas na parede. Não se torne um derrotista também! Você terá de lidar com as frustrações das outras pessoas. Se elas tiverem sido reclamadoras por muito tempo, então não espere que suas sugestões racionais surtam efeito imediato. Você pode até mesmo provocar uma série nova de reclamações e, neste caso, poderá ficar irritado e começar a perder o interesse. Não desista agora! Respire fundo e, então, interrompa a corrente de reclamações e recomece. Às vezes, dizer algo como: "Está certo, mas vamos voltar à pergunta que fiz antes..." pode ser suficiente para fazer o truque. Com reclamadores crônicos, assim como com tipos agressivos cirúrgicos (mesmo que por diferentes razões), é inútil tentar ser delicado ou educado. Essas pessoas são obcecadas demais por seus problemas para se chatearem se você os interromper ou insistir para serem mais específicas. Então, não hesite em interrompê-las aumentando a voz ou gesticulando para fazê-las parar de falar.

Seu programa de treinamento

Lidar com tipos que reclamam e outros tipos negativos, ouvi-los e ajudá-los a ter atitudes positivas requer um grau fora do comum de objetividade e neutralidade. Além de tudo, a vida joga muitos problemas em nosso caminho, mas nós não temos de torná-los o centro de nossas conversas! Se você quer se afirmar para os outros e para si mesmo, tem ao menos de aprender a resolver esse tipo de problema. Sua carreira, um importante relacionamento ou a paz de sua mente podem estar em jogo – as recompensas valem à pena.

Exercício: Reescreva a sua própria história

Quem nunca sofreu uma injustiça ou foi maltratado pelos outros? Todos nós somos vítimas uma vez ou outra, enquanto crianças ou quando adultos. Provavelmente, não pensamos muito sobre esses incidentes e é por esta razão que não nos tornamos reclamadores. No entanto, se quiser ajudar os outros usando a técnica de reescrever a história, primeiramente você tem de ser capaz de usar isso consigo mesmo.

Primeiro, pegue uma folha de papel e tome nota das circunstâncias em que você se sentiu uma vítima. Quando sua lista estiver completa, responda a essas três questões:

- Como o meu comportamento contribuiu para que isso acontecesse?
- Que fiz para incentivar a situação? (Dê fatos precisos.)
- Como deixei que isso acontecesse?

Se você achou muitas situações em que se sentiu a vítima, faça esse exercício com cada uma delas. Você se sentirá mais leve, como se um fardo tivesse sido tirado de sua mente e você experimentará uma nova sensação de seu próprio poder.

Agora, faça uma lista de, no mínimo, 50 coisas que você se sinta obrigado a fazer, começando cada sentença com "eu tenho que...". Por exemplo: "eu tenho de fazer minha declaração do imposto de renda...", "eu tenho de visitar os pais da minha esposa", "Eu tenho de cortar a grama...", etc. Quando a lista estiver completa, releia-a dando-se o tempo necessário para perceber como você se sente com a situação. Escreva como você se sente.

Agora, pegue suas 50 obrigações e tome nota novamente, só que desta vez use as palavras "eu escolhi..." no começo de cada sentença. Então, "eu escolhi fazer minha declaração do imposto de renda...", "eu escolhi visitar os pais de minha esposa...", "eu escolhi cortar a grama..." Terminou? E agora, como você se sente? Aproveite para adicionar as coisas boas que você escolheu fazer que lhe vierem à mente.

Se aplicar o processo do ''eu tenho-eu escolhi'', descrito acima, para cada obrigação você pode concluir que a consequência do não agir será pior e, assim, preferir fazer a ação. Neste caso, você saberá que pode escolher não fazer alguma coisa, como, por exemplo, não regar o gramado, assim a grama secará e você não terá mais um gramado. Se você não se importar com isso, então estará tudo bem. Esse exercício pode ajudá-lo a descobrir alguma coisa a respeito do seu poder sobre o mundo ao seu redor e fará de você uma pessoa mais livre. Você pode, então, compartilhar esse exercício com as pessoas reclamadoras com quem se encontrar e, ainda, ajudá-las a assumir as responsabilidades por suas escolhas.

Exercício: Mantenha um diário

Como você viu no capítulo anterior, pode ser muito útil manter um diário de seus encontros com pessoas difíceis, tanto quanto com os tipos que reclamam e outros tipos negativos. Utilize o seguinte modelo.

Lugar e data:
Situação:
1. O que a pessoa disse:

2. O que respondi:

3. O que deveria ter respondido:

Capítulo 4

Tipos Fechados

Ao perceber que seu novo vizinho estava cuidando do jardim, Jack se lembrou de algo que queria perguntar a ele. Andando junto à cerca com um sorriso no rosto, Jack diz "olá" e tenta começar uma conversa:

Jack: "Sua filha e a minha estão na mesma classe..."
Vizinho: nenhuma reação.
Jack: "Helen me disse que gosta muito de Claire. Claire disse alguma coisa para você?"
Vizinho: Responde com um grunhido não identificável.
Jack: "Pensei que, já que nossas filhas estão se tornando tão boas amigas, nós poderíamos fazer alguns acordos sobre o trabalho de babá, se for conveniente, é claro."
Vizinho: "Hmm..."
Jack: "Bom, se não for bom para você, teremos de pensar em alguma outra coisa..." Jack suspira e vai embora.

Uma economista apresenta verbalmente o sumário de um relatório que preparou para seu superior, o qual ele deveria ter lido de antemão. Depois de dar suas conclusões, ela espera pelo comentário do chefe:

> *Chefe:* "Mmm..."
> *Economista:* Tem algo que o senhor não tenha entendido? Talvez eu devesse esclarecer alguns pontos..."
> *Chefe:* "Mmm, não..."
> *Economista:* "Bom, e o que o senhor achou? Está bom?"
> *Chefe:* "Bom... hmm..."
> *Economista:* "Senhor! Por favor, diga-me o que acha!"

Se você está enfrentando um tipo fechado, terá sorte se tirar dele uma resposta com mais de duas sílabas. Os fechados são, provavelmente, os mais irritantes dentro dos tipos de pessoas difíceis. Quando você está esperando uma resposta clara, quando precisa de uma explicação ou está desejando iniciar uma conversa, eles se fecham consigo mesmos. Como você pode diferenciar um fechado de alguém que apenas não fala muito? É preciso ser cauteloso. Algumas pessoas só falam quando têm algo de interessante a dizer; são incapazes de entrar em uma conversinha curta. Outras pessoas terão de esperar por uma resposta até que tenham algo coerente a dizer. Então, qual a diferença entre um tipo fechado e uma pessoa que não fala muito? Bom, se você já teve de lidar com esses dois tipos de pessoas, sabe que é praticamente impossível misturá-los. Vamos dar uma nova olhada no primeiro exemplo e imaginar que o vizinho de Jack não é um tipo fechado, mas somente uma pessoa que não fala muito:

> *Jack:* "Sua filha e a minha estão na mesma classe..."
> *Vizinho:* nenhuma reação discernível.
> *Jack:* "Helen me disse que gosta muito de Claire. Claire disse alguma coisa para você?"
> *Vizinho:* "Não, ela não me disse nada a esse respeito..."
> *Jack:* "Eu pensei que, já que nossas filhas estão se tornando tão boas amigas..."
> *Vizinho:* "Se você quiser, eu posso falar com minha esposa."

Você vê a diferença? Pessoas lacônicas não dão indiretas quando questionas direta ou indiretamente. Elas, simplesmente, ficam quietas quando não têm nada a acrescentar.

As razões pelas quais a pessoa é incapaz de responder quando você está tentando se comunicar são muito mais variadas do que as dos outros tipos difíceis. Há diversas espécies de tipos fechados, muito diferentes uma das outras. Você deve ser muito cauteloso ao interpretar o comportamento deles. De fato, a única maneira de ter uma ideia precisa do que se passa na cabeça deles é fazê-los falar e, então, ouvir de perto o que estão dizendo.

O silêncio da rejeição

Tornar-se uma parede de silêncio para expressar ressentimento é uma arma que você mesmo já deve ter usado – ou ter sido vítima. Ser o alvo desse tipo de comportamento pode ser uma das situações mais difíceis de se lidar quando está se tratando de pessoas difíceis. Há pessoas cujo ressentimento é tão forte que permanecem, teimosamente, em silêncio por períodos extremamente longos e resistem a todas as tentações de se abrir e se comunicar. Casais que param de conversar e que se comunicam apenas por meio de notas escritas são humoristicamente representados em livros e filmes. No entanto, quando isso acontece na vida real – quando os pais param de falar com seus filhos ou um com o outro –, a situação é séria.

Você pode compreender o silêncio de uma pessoa após uma briga – mas como explicar isso em alguém com quem você não teve motivos para discordar? Antes de tudo, você deve pertencer a uma categoria que os fechados rejeitam sistematicamente. O simples fato de ter um formato de olhos diferente, falar com sotaque ou apenas ser um estranho ou alguém de fora que seja tido em bom conceito pode ser suficiente para ativar a reação do tipo fechado.

Esse é o pior tipo de rejeição para se aceitar porque é muito difícil entendê-la. A menos que tenha algumas informações prévias da pessoa que o esta rejeitando, você provavelmente se perguntará: "O que em mim esta pessoa não aceita?" ou "O que foi que eu fiz?" Não espere que ela vá explicar-lhe motivos e sentimentos. Fazer isso seria reconhecê-lo como um ser humano distinto e igual, que é exatamente o que ela se recusa a fazer.

Mecanismo automático de reação

Os aspectos irracionais e extremistas desse tipo de rejeição podem levá-lo a pensar que você não pode fazer nada a respeito disso. No entanto, esse não é o caso. Uma pessoa que se comporta dessa maneira reduz você a uma ou duas características para justificar a rejeição. Tais tipos permanecem cegos para tudo o mais sobre você – especialmente para as suas qualidades. À medida que conseguem manter sua imagem como uma limitada caricatura, eles podem cortar todas as tentações de se comunicar fechando-se. Isso é devido ao mecanismo automático de rejeição, sobre o qual eles não têm nenhum controle.

Se você está lidando com alguém que não conhece e que provavelmente não verá de novo, não há muito a fazer para corrigir a situação. Mas se você irá manter contato com a pessoa, felizmente, há esperanças.

Acima de tudo, mantenha a calma e, se possível, uma atitude benevolente para com a pessoa. Para mudar as bases do relacionamento você tem de dar ao outro a chance de conhecê-lo melhor, para descobrir suas múltiplas dimensões. Assim que o fechado começar a perceber suas outras características, será impossível que continue a tratá-lo de uma forma tão unidimensional – você passará a ser visto de uma nova maneira. É muito provável que, a partir de então, comece a agir de forma normal com você.

É devido a esse fenômeno que grupos de seres humanos são capazes de ser inimigos mortais em certas circunstâncias e podem viver passivamente em outras. Sempre que o ódio vira regra do dia, você pode encontrar, com certeza, ignorância e pontos de vista deformados sobre a realidade de ambos os lados, como uma causa oculta. Quando comunidades vivem juntas pacificamente é porque seus integrantes se compreendem e gostam uns dos outros.

O silêncio da proteção

"Madeline, você pode me dizer quem bagunçou a máquina de xerox novamente? Quem quer que tenha sido, não usou o papel correto."

"Humm..."

"Não vou deixar isso assim desta vez! Você não vai sair daqui antes de me dizer quem é o responsável..."

O rosto de Madeline vira uma pedra. Ninguém a fará denunciar sua melhor amiga. Ela recomeça seu trabalho deixando claro que não vai mudar de ideia. Não sabendo como lidar com a situação, seu chefe é obrigado a aceitar a derrota.

Quando alguém se fecha com o objetivo de evitar conversa, pode ser que tenha algo a esconder e queira evitar um confronto doloroso em potencial. Recusando-se a responder a uma questão, ou dando respostas monossilábicas, a pessoa não precisa mentir. É pouco provável que você consiga fazer essa pessoa mudar de ideia. O problema é que tais pessoas simplesmente não sabem mentir. Se Madeline tivesse tido a habilidade em dar um leve sorriso dizendo: "Eu não tenho a menor ideia de quem quebrou a máquina...", então, a única coisa a se fazer seria acreditar ou chamá-la de mentirosa convicta, o que é uma séria acusação.

Você está lidando com alguém que não consegue mentir por causa de seu padrão ético e que é impedido de trair um amigo pela mesma razão. Você pode imaginar o imenso conflito interno que isso causa! O último recurso que tais pessoas têm é manter-se em silêncio. Mas, como veremos posteriormente, mesmo o silêncio transmite uma mensagem que você aprenderá a decifrar e poderá ver um fechado como um livro aberto.

O silêncio da repressão

Gilbert vem para casa e encontra sua esposa transtornada. Não é a primeira vez e ele reconhece os sinais imediatamente. Preocupado, ele pergunta: "há algo errado?", mas isso apenas a irrita mais. "Não!", ela responde bruscamente. É óbvio que isso não resolve nada. Gilbert tem certeza de que algo aconteceu, mas sua esposa apenas faz preparar o jantar, com um olhar distante até que Gilbert perde a paciência. Ele precisa saber o que aconteceu. "Escuta", diz ele com voz tensa, "algo a está incomodando. Você não está sendo você mesma. Diga-me o que aconteceu!". "Nada. Nada mesmo!", ela replica. Quanto mais ela se recusa a falar, mais Gilbert tem certeza de que alguma coisa está realmente errada. Mais tarde, à noite, ele pergunta novamente. Ela, repentinamente, cai no choro e diz: "Mônica está com câncer de mama!" Tirando o peso da má notícia, Gilbert sente-se muito melhor, pois não há nada pior do que ficar sem saber o que está acontecendo.

Mais frequentemente do que nos damos conta, as pessoas escondem suas crises emocionais atrás do silêncio. Elas rangem os dentes e recusam-se a deixar os outros saber de sua dor, temendo que, ao expressar seus sentimentos, mesmo que por um momento, possam ser tomadas por uma maré emocional. Mas se uma emoção não for manifestada, ela ficará estagnada, retida no corpo, onde faz mal, pois tensiona músculos, provoca câimbras, problemas de pele, úlceras e coisas do tipo. Com o passar do tempo, a consciência sobre a emoção inicial desaparece, mas o corpo não se esquece. É muito melhor expressar as emoções.

A maneira como você pode ajudar os fechados é dar-lhes a oportunidade de se abrir em vez de continuarem bloqueados e com os dentes cerrados. Seus esforços para fazer um tipo fechado falar podem fazer com que ele entre em uma crise de choro ou de raiva e se você não estiver preparado poderá ficar um pouco apavorado com a resposta. No entanto, lembre-se de que você não é a causa do sofrimento daquela pessoa. Tudo o que fez foi abrir uma porta e tudo o que precisará fazer em seguida será manter-se ao lado da pessoa, pronto para dar assistência. Se ela estiver sofrendo, apenas dê-lhe um lenço de papel; se for um amigo, ofereça um abraço ou um tapinha nas costas.

Provocar demonstrações desse tipo no local de trabalho pode, obviamente, ser embaraçoso. De qualquer modo, você não pode esperar que seus colegas estejam completamente livres de emoções, então, tente discernir algum motivo oculto por trás da sua recusa em se comunicar; tente descobrir qual é o real problema, e se você sentir que a pessoa está com alguma sobrecarga emocional, pare e proponha uma visita ao médico ou uns dias de folga: sua função não é bancar o terapeuta emocional...

O silêncio do aborrecimento

Você já esteve em um evento social onde não conhecia absolutamente ninguém, não tinha nada em comum com ninguém e acabou ficando em silêncio a noite toda por não ter nada a dizer? Este é o motivo mais comum por trás do silêncio dos tipos fechados. Essas pessoas vivem em outro planeta – elas não o compreendem e não sabem como se comunicar. Por causa disso, elas podem achar a sua companhia entediante, mas nem sempre esse é o caso.

Uma vez eu tive um romance com uma linda jovem mulher com quem houve uma imediata e mútua atração. Quando nos dávamos as mãos, uma poderosa corrente fluía entre nós, mas fora isso ela era totalmente quieta. Nenhum dos assuntos sobre os quais eu tentava conversar fazia-na falar uma palavra. Ela me ouvia absortamente, mas quando eu parava de falar era aquele silêncio mortal. Embora ela fosse realmente apaixonada por mim, e tenha provado isso cruzando todo o continente apenas para me encontrar, eu preferia que ela tivesse ficado onde a deixei, porque a ideia de viver nesse doloroso silêncio me dava arrepios. Uma relação não é baseada unicamente na atração física e com essa mulher eu conheci o aborrecimento no amor. No momento, eu não tinha a menor ideia de por que, tirando a afinidade física, existia uma barreira tão grande entre nós, mas meus estudos, posteriormente, me ajudaram a encontrar a resposta.

Vocês falam a mesma língua?

Você pode achar que tudo o que é necessário para se comunicar com alguém é falar a mesma língua. Eu falo português, você fala português, logo, podemos nos comunicar, certo? Errado:

> *Martine:* "Eu estou te ouvindo mas não sei do que você está falando. Para mim não faz sentido."
> *Mark:* "Você não consegue ver o que eu estou fazendo? Eu estou tentando usar um pouco de imaginação para fazer você me entender!"
> *Violet:* "Sinceramente, não acho que você esteja falando coisa com coisa. Suas imagens apenas me deixam fria."

Você acha que essas três pessoas têm a chance de se entender? Talvez sim, mas para isso terão de fazer um bom esforço para traduzir o que estão dizendo. Martine se utiliza da linguagem auditiva; Mark, da visual e Violet usa palavras que se referem apenas às suas sensações.

Essas três formas de perceber o mundo estão relacionadas aos nossos três principais sentidos: audição, visão e tato. Como essas pessoas podem usar seus sentidos tão diferentemente? Psicólogos aprenderam que nós selecionamos as informações que percebemos pelos nossos cinco sentidos. Algumas vezes somos só ouvidos, outras dependemos exclusivamente de nossas visão e, outras ainda, somos sensíveis ao toque. Podemos também ser tomados por um cheiro ou pelo gosto de um alimento. Você perceberá, por exemplo, que é muito difícil estar totalmente atento ao que é dito ao nosso redor quando estamos concentrados em um sabor delicioso – é impossível estar totalmente atento às percepções dos cinco sentidos ao mesmo tempo.

Estamos constantemente escolhendo e nos concentrando em um único aspecto de nossa experiência. Esse processo de seleção começa quando ainda somos muito jovens. Todos nós fomos condicionados a enfatizar um de nossos sentidos. Quando chegamos à idade adulta somos categoricamente divididos em auditivos, visuais ou táteis. Devido a isso desenvolvemos preferência pelas artes visuais, pela qualidade da voz das pessoas ou pelo toque.

Isso é suficiente para explicar por que algumas pessoas se fecham em relação a você? Vamos ver o exemplo da minha amante silenciosa. Embora pudéssemos nos comunicar intensamente por meio do toque, vivíamos em dois universos separados. Enquanto ela era uma pessoa visual, satisfeita com o que seus olhos viam, eu enfatizava o som da voz das pessoas. Mas essa não era a única razão para o silêncio dela; havia outras diferenças que tornaram improvável que nós atingíssemos um entendimento comum.

O princípio da afinidade

Ter afinidade com alguém significa sentir-se próximo a ele naturalmente, sem esforço. Simpatia imediata seria outro nome para isso, mas as afinidades não aparecem na primeira vez que você encontra uma pessoa; antes você precisa conhecê-la melhor. O oposto da afinidade é a sensação de não ter nada em comum com determinada pessoa. O resultado de um relacionamento assim é o aborrecimento, a indiferença e, às vezes, até o ódio. Um ótimo pretexto para o comportamento dos fechados é esse.

Seis formas de classificar informações

Além de desenvolver uma de nossas funções sensórias, nós também estamos equipados com filtros que classificam as informações que recebemos do mundo exterior – algumas coisas atraem nossa atenção, enquanto outras nós, simplesmente, ignoramos. Nossos cérebros não poderiam funcionar se nos mantivéssemos abertos a todas as informações o tempo todo e com o mesmo nível de intensidade. A desvantagem desse processo é que temos apenas uma visão parcial e incompleta do mundo, e isso leva a discordância com pessoas que desenvolveram uma forma de filtros diferente da nossa. Essa é a razão pela qual tendemos a preferir pessoas com o mesmo tipo de filtros que nós. Quando percebemos a realidade da mesma maneira que outra pessoa, sentimos uma imediata afinidade com ela. Quando não usamos os mesmos filtros, sentimos uma distância nos separando e podemos nos impressionar com o que podemos fazer para manter a distância.

Entre todas as formas que diferenciamos, uma é de nosso particular interesse. Pense no melhor feriado que você já teve, ou em um que você gostaria de ter. Dependendo da categoria ou da "tribo" à qual você pertença, poderá se recordar de uma variedade de imagens vivamente coloridas, ou de coisas que disse e ouviu ou de sensações táteis (calor, bem-estar, etc.) e emoções. Deixando isso de lado, no que você pensa? Lugares? Atividades? Pessoas? Eventos? Informações? Objetos? Essas são as seis principais categorias que você, eu e todo mundo usamos para classificar as informações. Nós não nos interessamos por todos os aspectos de um evento e há ainda alguns que ignoramos sistematicamente.

Vejamos o exemplo das férias dos sonhos. Digamos que você se encontra em uma agência de viagens e o agente está tentando vender-lhe um cruzeiro para Grécia. Ele não conseguirá convencê-lo falando dos maravilhosos lugares que podem ser encontrados lá se você estiver interessado nas pessoas. Sua decisão será baseada na disposição de seu amigo George em acompanhá-lo, no tipo de pessoas que encontrará na viagem e na simpatia, ou não, pela qual os gregos são conhecidos por tratar seus turistas. O agente também não será bem-sucedido se disser que o cruzeiro é um evento único se o que você quer é ação. Você irá querer saber sobre as atividades oferecidas durante a viagem. Mergulho? Windsurf? Como último recurso, o agente de viagens começa a fornecer-lhe todas as informações a respeito do cruzeiro – tabelas, portos visitados, distância que estará sendo percorrida, taxa de câmbio, temperatura média, etc. Rapidamente você para de ouvir – sua mente vai para outro lugar e você responde às questões do agente de forma monossilábica. Você está interessado em coisas. Há algo de interessante para se comprar na Grécia? É disso que você quer saber.

Falador em um dia, quieto no outro

Você pode estar para entender por que as pessoas, teimosamente, se recusam a dizer uma palavra, fecham-se como um molusco na concha. Uma pessoa pode tagarelar ao extremo sobre sua atividade preferida, mas não ter absolutamente nenhum interesse em discutir outro assunto. Da mesma forma, não é surpreendente que as profissões correspondam aos diferentes filtros: um arquiteto paisagista prefere lugares; um psicólogo ou professor prefere pessoas; um pesquisador, informação; um negociante de antiguidades, objetos; um jornalista, eventos; um profissional do esporte, ação, e por aí vai.

Quanto mais aprendemos sobre a natureza humana, mais entendemos comportamentos que pareciam estranhos e conseguimos aceitar melhor as diferenças entre nós e os outros. De fato, descobrindo quais sentidos e filtros você utiliza menos e passando a usá-los mais, você aumentará sua capacidade de percepção por meio dos cinco sentidos, aumentando vastamente sua sensibilidade em todas as direções. Isso, por sua vez, irá ajudá-lo a chegar às pessoas que pareciam inatingíveis. Falando a mesma língua e fazendo pequenos ajustes para adaptar seu ponto de vista às afinidades do outro, você provavelmente será capaz de ajudar essa pessoa que ficou trancada no silêncio a se abrir para a comunicação.

Lidando com tipos fechados

Antes de tudo, mantenha a calma. Você poderá tender a interpretar o silêncio da pessoa como rejeição ou ceder à tentação de sacudi-la para fazê-la ter uma reação. Não! Não há nada pior que dizer ou fazer algo que difame a pessoa. Não pense que um comentário como: "eu tenho a impressão que dentro de sua cabeça tem uma esponja no lugar do cérebro!" fará com que a pessoa comece a falar. Pelo contrário, esse tipo de comentário apenas incentivará a pessoa fechada a manter sua decisão de ficar quieta. Em vez disso, se você deixar claro que está sinceramente interessado em ouvi-la, conseguirá o que quer muito mais facilmente.

Agora você tem de estudar e praticar os métodos para ultrapassar o silêncio. Não tente ler as entrelinhas. Deixe a pessoa falar, pois isso evita o aumento de tensão para o seu lado e ajuda a outra pessoa.

Faça as perguntas corretas

Você pede a alguns colegas para irem ao seu escritório a fim de, juntos, discutirem alguns aspectos do seu trabalho. Você sabe que, além de muito competentes, eles sempre foram próximos a você no passado. Contudo, você gostaria de conversar com eles porque tem quase certeza de que têm algumas ideias interessantes para apresentar, mas para isso deverá fazer algumas perguntas – não qualquer uma.

Você não vai chegar a lugar nenhum em suas tentativas de ajudar alguém a se abrir fazendo perguntas fechadas, que podem facilmente ser respondidas com um "sim" ou um "não". Evite, por exemplo, questões como "você concorda?", ou "você escolhe A ou B?". Perguntas tão limitadas permitem que o tipo fechado mantenha-se tão fechado como sempre.

A seguir, certifique-se de não insinuar nada negativo a respeito da pessoa quando fizer uma pergunta. Se você disser, por exemplo, "você entendeu minha pergunta?", estará insinuando que ela não respondeu por ser estúpida. Como já vimos, essa é uma excelente forma de não conseguir o que se quer. Por outro lado, fazer insinuações positivas nas questões que forem feitas é uma boa maneira de deixar a pessoa sentir bem. Por exemplo, você poderia dizer em tom de brincadeira: "Pelo seu silêncio, acho que você não quer compartilhar sua inteligência conosco!". Mesmo dessa forma, levemente provocativa, estará mostrando à pessoa que valoriza a sua opinião.

Não permita que o silêncio o deixe sem graça

Acompanhe suas perguntas com um olhar sinceramente inquisitivo, mas sempre educado, e mantenha essa expressão após terminar a pergunta. Não se preocupe com o silêncio que se seguirá. Tipos fechados costumam ter dificuldade em formular suas ideias rapidamente, já que não estão acostumados a ser requisitados nesse particular. Eles precisam de alguns momentos para agrupar seus pensamentos. Apenas deixe sua expressão falar e espere pacientemente pela resposta.

Como outros tipos difíceis, os fechados criaram uma forma habitual de reagir a situações que estão de acordo com sua motivação – manter o silêncio. Eles desenvolvem cenários que usam, às vezes sem conhecimento, para se livrar de uma situação sem ter de revelar nada. É por isso que perdem o controle se você reagir de uma forma inesperada, pois perdem momentaneamente sua concha de segurança. Você pode usar essa abertura para fazer os tipos certos de perguntas.

Não há muitas pessoas que se sintam confortáveis quando o silêncio se instala durante uma conversa ou reunião. Tipos fechados constantemente fazem uso desse fenômeno. Eles sabem, conscientemente ou não, que toda vez que ficarem quietos, alguém voluntariamente irá preencher o vazio. Não caia na armadilha ficando transtornado, limpando a garganta, suspirando ou falando alguma coisinha apenas para preencher o silêncio. O que você deve fazer? Repita pergunta de final em aberto a cada 20 segundos, mantendo a mesma expressão cordial e inquisitiva. Se você se sentir culpado forçando alguém a falar contra a própria vontade, então questione-se se é melhor apenas deixar o fechado continuar se escondendo.

Mesmo o tipo fechado mais endurecido irá, eventualmente, compreender que você não está reagindo da mesma maneira que todos reagiram no passado e verá que não é possível manipulá-lo. Provavelmente, não será necessário repetir as questões mais de duas ou três vezes.

No entanto, se você achar a técnica da "interrogação" muito agressiva, há outro método fantástico para ajudar as pessoas a falar: a técnica do "Suponha que nós..." Aqui estão alguns exemplos:

Você: "Gerry, onde você está pensando em passar suas férias?"
Gerry: mantém-se em silêncio, querendo dizer "não sei..." ou "ainda não me decidi..."
Você: "Supondo que você já tivesse se decidido, onde seria?"
Gerry: " Bom, supondo que eu já tivesse tomado uma decisão, poderia ser umas duas semanas no Caribe ou talvez uma semana com minha família na Itália."

Você: "Monica, qual sua opinião a respeito de como nosso programa de aposentadoria antecipada está funcionando?"
Monica: Continua em silêncio, querendo dizer que não quer dizer nada antes de consultar seus superiores.

Você: "Suponha que a decisão fosse sua – o que você faria?"
Monica: "Bem, se a decisão fosse minha, a primeira coisa que eu iria fazer seria..."

E aqui está você com todas as informações de que precisa!

Se nada funcionar...

Você se equipou com uma bateria de técnicas para ajudar até mesmo o mais fechado dos fechados. Mas pode ser que todos os seus esforços tenham falhado. Sem dúvida, você ainda não foi capaz de compreender como essas pessoas percebem o mundo de uma forma diferente da sua e de adaptar a sua abordagem ao panorama deles. Perceber essas diferenças requer um treinamento de paciência e concentração.

Pode haver algo que precise ser corrigido. A melhor maneira de ajudar uma pessoa a se abrir é mostrando, sinceramente, o seu interesse nela. Muito frequentemente nosso interesse é apenas uma fachada. Fazemos perguntas sem estarmos realmente interessados nas respostas e somos mais propensos a querer falar e atrair a atenção para nós mesmos. Os tipos fechados, invariavelmente, podem detectar isso. Eles costumam ser pessoas muito sensíveis que se protegem escondendo-se em sua concha e saberão, com certeza, se o seu interesse é real ou falso. Se não for real, qualquer técnica a ser usada será uma pobre substituta.

Fechados ao telefone

Existem pessoas que, embora sejam capazes de participar normalmente de uma conversa, na maioria das vezes perdem a fala quando forçadas a falar ao telefone, mesmo que seja com pessoas bastante conhecidas. Quando conversamos – ou tentamos conversar – com esses fechados ocasionais, temos a impressão de estar participando de um monólogo e não de um diálogo. Com a pessoa à nossa frente, ao menos podemos perceber, por meio da expressão e da linguagem corporal, se o que estamos dizendo está sendo registrado, mas ao telefone, nem disso podemos ter certeza.

Na grande maioria dos casos, os fechados ao telefone são pessoas que não têm autoconfiança, são tímidas e introvertidas e têm de fazer um grande esforço para se afirmar e adquirir um mínimo de autossegurança. Embora passem a impressão de não ter problemas de comunicação, assim que atendem a uma ligação telefônica, parecem ser tomadas por toda a timidez que escondem a tanto custo. É por isso que pessoas tímidas, embora tenham aprendido a se afirmar com os outros, precisam da constante reafirmação de seus ouvintes na forma de sutis mensagens corporais e gestos de aprovação para se manterem confiantes. O telefone elimina todas essas sutis formas de comunicação; o tipo fechado não pode ver a pessoa do outro lado da linha e isso provoca o silêncio.

O que você pode fazer?

A primeira parte de sua estratégia continua a mesma: faça perguntas que não possam ser respondidas monossilabicamente. Já que você não pode acompanhar a pergunta de um olhar inquisitivo e interessado, tente expressar interesse pelo tom da sua voz, tornando-a mais expressiva do que durante uma conversa frente a frente. Você também pode acompanhar sua pergunta de declarações como: "Eu, realmente, gostaria de ouvir sua opinião sobre esse assunto...", "Dou muito valor à sua opinião...", "Estou contando com seus comentários..." e coisas desse tipo. Uma vez feita a pergunta, dê à pessoa tempo para organizar os pensamentos e, então, pergunte novamente se ela não tiver dado nenhuma resposta. Se a pessoa do outro lado da linha continuar quieta, evite a todo custo ficar irritado. Não faça qualquer comentário agressivo, pois isso poderá transformar a pessoa em um "eterno fechado" em vez de continuar sendo um "fechado ocasional". Isso não significa que você deve deixar que a pessoa desligue antes de ter conseguido o que queria. Deixe claro que irá ligar novamente, depois de ter dado tempo para que a pessoa organize seus pensamentos. Deixe agendada a próxima ligação e, como último recurso, sugira uma reunião pessoal. Encontros pessoais tornarão a comunicação muito mais fácil para ambos!

Seu programa de treinamento

A simples leitura dos conselhos de como se comunicar com tipos fechados não é suficiente; aprender a lidar com eles requer prática.

Identificando a tendência sensorial

É importante saber qual o seu sentido predominante: visão, audição ou tato. (Deixamos de lado o paladar e o olfato porque eles raramente são predominantes em humanos.) Então, uma vez detectado o sentido predominante da pessoa, você simplesmente tem de se esforçar para falar na mesma linguagem que ela. Mais fácil falar do que fazer, você deve estar pensando – e está certo. Difícil, mas não impossível, e o esforço será bem recompensado, já que conseguir isso fará de você um excelente e efetivo comunicador.

Quais problemas estão envolvidos?

Há dois problemas principais que encontrará: aprender a reconhecer o sentido predominante da pessoa e a expressar-se em uma linguagem diferente da sua própria. No final deste livro você encontrará dois testes de autodiagnóstico (Apêndice 2). O primeiro – chamado Teste Visual-Auditivo-Sensorial (VAS) – irá ajudá-lo a determinar o seu sentido predominante. Responda-o o mais espontaneamente possível. O objetivo do teste é, acima de tudo, torná-lo mais atento às dimensões da sua personalidade, sem defini-la conclusivamente. Para ter uma ideia do sentido predominante nos outros, faça cópias do teste e peça para que amigos e colegas o completem. Eles adquirirão um melhor entendimento de si mesmos e você compreenderá por que, algumas vezes, foi tão difícil comunicar-se com eles. O segundo teste irá ajudá-lo a determinar o principal critério que você usa para classificar informações.

Se puder, peça para um tipo fechado completar os dois testes; fazer os exercícios juntos seria um grande passo em direção a uma melhor comunicação. É claro que você não pode levar os testes para onde for e, felizmente, existem outras formas para se determinar o senso predominante das pessoas.

Quais palavras e por quê?

As palavras que usamos são, frequentemente, um reflexo direto do nosso sentido predominante. Quando eu digo algo como "Isso parece uma conversa de surdos-mudos...", qual sentido eu estou evocando? Audição, é lógico. O fato de eu usar esta expressão não é por acaso – isso mostra que a audição é meu sentido predominante. Eu poderia ter dito algo como "eles precisam de alguém que soletre para eles..." (visão), ou "você pode acabar com a tensão entre eles com uma faca..." (tato).

Para ajudá-lo a determinar o sentido predominante de uma pessoa temos, a seguir, uma lista com características gerais de cada sentido:

Palavras características

Visuais	Auditivos	Táteis	Atitude
• Perspectiva	• Estou ouvindo o que você está dizendo	• Tenho o pressentimento	• Considerar
• Ponto de vista			• Perseverar
• Tome cuidado	• Ouça isso	• Premonição/vibração	• Percepção
• Mantenha o olho em	• Lembra-me alguma coisa	• Insensível	• Revelar
• Minha mente é um vazio		• Pesado	• Emitir
	• Deixe-me explicar	• Sombrio	• Ausência
• Examine isso	• Estabelecer um acorde	• Notável	• Simples
• Mostre		• Vou colocar meu dedo nisso	• Ostentatório
• Ilustre	• Sem palavras		• Atento
• Parece-me familiar	• Silêncio	• Aprenda a controlar	• Ignorar
• Dê outra olhada	• Harmonioso	• Pressionar	• Expor
• Encoberto	• Estou ouvindo	• Ajustar os parafusos	• Registrar
• Simetria	• Ajude-me a entender	• Atmosfera quente/fria	• Ir além
• Brilhante	• Esqueci-me de mencionar		• Identificar
• Não vejo isso dessa forma		• Delicado	• Conceber
		• Áspero	• Repetir
		• Sinto nas entranhas	• Lembrar
		• Faça coisas se movimentarem	

Analisando uma conversa

Agora você tem informações para determinar, por meio de palavras e expressões, a tendência sensorial predominante em uma pessoa. A melhor forma de praticar essa técnica é tomar nota de palavras-chave enquanto estiver ouvindo alguém falar. Como você não poderá fazer isso durante a conversa, pode usar entrevistas de televisão ou conversas que escutar, ou peça a amigos ou parentes para relatarem viagens que tenham feito ou outras coisas. Tome nota das palavras-chave e expressões que a pessoa usar, por exemplo:

...viagem à Inglaterra... vento assobiando... altura dos penhascos... tremendo silêncio durante a noite ... cânticos nas igrejas... sons do oceano... eu disse para mim...

Claramente, estamos lidando com uma pessoa auditiva. Você não tem de completar páginas e páginas com suas notas; às vezes, precisamos de apenas duas ou três frases.

Se uma pessoa usar muitas expressões da linguagem não específica ou uma mistura de termos visuais, auditivos e táteis, você pode ficar em dúvida sobre qual é o seu sentido dominante. Nesses casos, terá de ser paciente e analisar a linguagem mais cuidadosamente.

Exercício: De uma linguagem para outra

Uma boa forma de praticar a linguagem que não é sua, é usar uma simples história como "Chapeuzinho Vermelho" e repeti-la em voz alta, concentrando-se em uma introdução sensorial de cada vez:

Visual: Era uma vez uma menininha de cabelos loiros e cacheados e com as bochechas rosadas, vestindo uma saia cinza e uma blusa xadrezinha em branco e azul...
Auditivo: Ela ouviu a voz da mãe chamando-a da cozinha. O ruído pesado dos passos de sua mãe invadiu o salão e, então, ela entrou na sala gritando: "Você tem de ser tão barulhenta, Chapeuzinho?!"
Tátil: Chapeuzinho Vermelho pegou sua cestinha e suspirou. Ela provou o bolo que sua mãe tinha feito – estava meio quente. A ideia de dar um passeio pela floresta a fez sentir-se feliz e entusiasmada.

Apenas continue a história da mesma forma. Eu não conheço melhor maneira de praticar o uso dos diferentes aspectos sensoriais de linguagem.

Categorias de classificação das palavras

Os seres humanos veem a realidade de formas diferentes, enfatizando um aspecto além dos demais. Para descobrir a qual categoria você pertence, faça o teste do Apêndice 2. Não é preciso reflexão ou cálculos – apenas responda às questões o mais espontaneamente possível. Você, provavelmente, se surpreenderá com a precisão dos resultados. Faça cópias do teste e distribua a amigos, colegas e familiares – e, especialmente, para qualquer tipo fechado que você conhecer.

Se você não puder usar o teste para descobrir qual o principal critério de classificação de informações de uma pessoa, terá de ouvir atentamente ao que ela disser – o filtro que estiver usando aparecerá rapidamente. Certas pessoas falam somente dos outros, algumas se concentram em lugares enquanto outras dão informações muito precisas. O método usado para determinar o sentido predominante também é usado aqui; apenas tome nota de palavras-chave e de expressões.

Pedir para alguém falar sobre um dos dias mais bonitos de sua vida é uma boa forma de descobrir qual o filtro de classificação de informações que a pessoa usa. Foi quando ela comprou um carro novo (objeto)? Ou foi uma festa com bons amigos (pessoas)? Está relacionado a um belo pôr do sol em algum lugar exótico (lugar)? A pessoa fornece um monte de informações detalhadas?

Poucas pessoas utilizam apenas um filtro de classificação de informações – elas costumam aparecer em pares. Alguns critérios são totalmente ignorados e é aí que podem surgir problemas: imagine que objetos sejam extremamente importantes para você, enquanto sua esposa dificilmente se importa com eles – isso poderia levar a sérios desentendimentos!

Exercício: Adotando um critério diferente

Este exercício consiste em pensar nas maneiras de apresentar um projeto a alguém apelando para cada um dos seis filtros.

Para vender uma viagem para a Grécia o que você diria a alguém que enfatiza:

- Eventos
- Lugares
- Ações
- Pessoas
- Informações
- Objetos

Algumas categorias podem mostrar-se mais trabalhosas, especialmente aquelas com as quais você não tem qualquer relação. Outras pessoas ficarão muito contentes em mostrar-lhe como usar a linguagem delas – e podem também querer fazer um esforço para aprender a sua.

Capítulo 5

O Perigo de Jogar

John e Susan são casados há dez anos. John é gerente de uma empresa privada e Susan é enfermeira e recebe um salário muito baixo. Há um ano o casal concordou em reduzir os gastos familiares para que John pudesse tirar um dia por semana para voltar a estudar.

Seu aniversário de casamento está chegando. No passado, eles celebrariam em um bom restaurante, mas este ano Susan resolveu surpreender John com um jantar em casa. Ela começou olhando os livros de receita atrás de algo suntuoso, porém barato. Ela tinha comprado material para fazer um roupão para seu marido e também algumas velas perfumadas para tornar a noite uma ocasião especial.

O dia do aniversário chegou. Sentindo-se orgulhosa de seu trabalho, Susan deixou tudo pronto antes de John chegar em casa. Finalmente, ele entrou todo contente, dizendo: "Susan! esta noite nós vamos sair! Eu fiz reservas num novo restaurante. Pro inferno o nosso orçamento! Vamos aproveitar!"

"Espere um minuto!", diz Susan, conduzindo-o à sala de jantar que está iluminada por velas e tem uma garrafa de champanha gelada, pronta para ser aberta. "Eu pensei que poderíamos comer em casa hoje". Relutante, John concorda em comer em casa, pois ele tem outra surpresa.

Após o jantar, John tira de seu bolso uma caixinha embrulhada em papel dourado e dá para Susan, que se sente constrangida ao abrir a embalagem. Dentro está uma magnífica pulseira de ouro cravejada de safiras, exatamente igual à que ela tinha admirado na vitrina da loja, semanas atrás. Lágrimas brotaram em seus olhos. John pensou que era porque ela estava muito feliz e, feliz consigo, tenta abraçá-la. Mas Susan empurra-o e joga a pulseira no chão.

"Como você pôde!" Ela chora. "Quando vi esta pulseira, tudo o que ela me fez pensar foi nas cento e uma coisas que tenho de fazer para guardar dinheiro toda semana! E você pensa que pode bancar o príncipe e comprar brinquedinhos caros porque isso te diverte, mesmo que nos deixe com dívida pelos próximos cinco anos!"

John fica sem fala. Tenta explicar que estava apenas querendo mostrar sua gratidão por todos os sacrifícios que Susan vinha fazendo para que ele pudesse obter as qualificações necessárias para ser promovido. Ele é levado a defender suas ações, o que provoca uma longa e tensa briga, na qual ambos os lados se culpam por todas as pequenas queixas que vêm guardando durante anos de vida em comum.

Isso é chamado de "pingue-pongue" verbal: um pequeno teatro muito perigoso, em que ambos os lados lançam mensagens hostis para o outro e que frequentemente são contraditórias e indiretas. Velhas feridas são abertas e novas são criadas. Aqui está outro exemplo:

Mark tem 19 anos. Ele vive com sua mãe, Joana, e seus dois irmãos menores, de 8 e 12 anos. Joana trabalha em período integral e também cuida do serviço doméstico. De acordo com ela, "Mark é um garoto muito bom, mas eu devo ter dito a ele uma centena de vezes para limpar os pés antes de entrar na cozinha e ele sempre deixa trilha de sujeira pelo chão."

Por quê?

Joana é muito ocupada. Ela não pode pagar uma babá enquanto está fora, então Mark costuma ser o encarregado.

Mark acha que ela fica fora tempo demais, mas Joana sabe bem das dificuldades de ser mãe solteira e de cortar todas as atividades sociais; então, ela se esforça para não perder contato com os amigos. Quando Mark reclama, ela diz que se ele não a ajudar é porque não a ama.

Como Mark se rebela contra essa acusação? Ele deixa seu rastro de sujeira no chão da cozinha. Então ele se desculpa, dá um abraço na mãe e diz que ela é uma boa cozinheira! Essa demonstração de afeto evita que Joana descarregue sua raiva e, assim, ela vai (inconscientemente) procurar outra forma de se vingar. Quando alguém a convida para um jantar no próximo sábado, ela aceita imediatamente dizendo que Mark poderá ficar em casa e cuidar das crianças. Convenientemente, ela "esqueceu-se" de que Mark foi convidado para uma festa no sábado, mesmo ele tendo feito questão de avisá-la e de agendar o compromisso no calendário da cozinha.

Como são incapazes de dizer em voz alta o que pensam, Mark e Joana entraram em uma perigosa jornada que pode levá-los a um confronto real e a uma possível ruptura de relacionamento, apesar do carinho que sentem um pelo outro. Bem no fundo, um culpa o outro pelas próprias dificuldades, mas nem mãe nem filho ousam, ou sabem como, ultrapassar a barreira que está crescendo entre eles.

Todos nós já participamos de tais jogos uma vez ou outra com alguém de quem gostamos, e esta é uma das características desse tipo de duelo emocional: acontece sempre com pessoas que são próximas e começa já no início do relacionamento. De fato, crianças são mestras nesse jogo que costuma resultarem algum tipo de chantagem emocional. Vamos ouvir o que uma mulher, divorciada e que mora sozinha com a filha de seis anos, tem a dizer sobre um convite para jantar que ela fez ao homem com quem está pensando em se casar:

"Eu coloquei Tina na cama às oito horas e pedi-lhe que se comportasse direitinho enquanto Dennis estivesse aqui. Ela não se comportou mal nem começou a chorar – isso teria sido fácil! O que ela fez foi me chamar em seu quarto de cinco em cinco minutos. Ou ela estava com sede, ou não achava o ursinho de pelúcia, ou queria que eu desse o beijo de boa-noite... Ela me enlouqueceu! É sorte Dennis gostar de crianças!"

O que fez Tina agir dessa forma? Seu medo de ser rejeitada. Esse sentimento, embora óbvio (por ser criança, Tina não está acostumada a esconder seus sentimentos como o fazem os adultos), era a força motriz por trás de suas mensagens contraditórias. Seu comportamento foi uma reação natural à ameaça que sentiu estar sendo direcionada ao seu relacionamento com a mãe.

Adultos, que não desejam terminar um relacionamento mas querem modificá-lo, mandam mensagens mais indiretas ainda, querendo evitar o conflito direto. Esse é o caso, por exemplo, de casais que trocam críticas em público porque têm medo de fazê-lo quando estão a sós. Vamos dar uma nova olhada em nossos exemplos...

Mark acha que a mãe se aproveita dele, mas não ousa chegar e dizer isso francamente porque tem medo de ser acusado de egoísta e de não amá-la. Então, ele faz uma declaração indireta (inconsciente) de protesto sujando o chão da cozinha e depois desvia a mensagem hostil demonstrando carinho.

Joana, que tem medo de ficar com raiva de seu filho e de perder sua preciosa ajuda, também tenta evitar o confronto. Ela prefere ouvir exteriormente as mensagens positivas (as desculpas, abraços e elogios de Mark) e ignorar as mensagens negativas (a sujeira no chão da cozinha).

No caso de John e Susan, ela acha que:

- todos seus esforços e sacrifícios para manter a casa com um baixo orçamento não eram importantes;
- seu marido não liga, ou já tem como certos seus esforços – eles não são nada que proporcione orgulho;
- o orgulho machista de seu marido e a necessidade de ser o ganha-pão da família fizeram-no sair, sem pensar no amanhã, e ostentar um presente luxuoso pelo qual não poderiam pagar.

Quanto a John, frustrado em seu papel de benfeitor, ele finge ver Susan como uma esposa ingrata, amargurada com os sacrifícios financeiros que teve de fazer durante o último ano e, finalmente, indigna do seu magnífico presente.

John e Susan não estão na mesma sintonia; sua linha de comunicação foi quebrada. Mas, temendo destruir totalmente a relação, nenhum dos dois é capaz de dizer abertamente o que pensa sobre as atitudes do outro.

Quais são os resultados?

Frequentemente, é tentador adotar a filosofia do "olho por olho". Quando o "pingue-pongue" verbal for a forma usual de comunicação em um relacionamento, ambas as partes acabam se tornando vítimas da hostilidade um do outro. Infelizmente, o resultado final costuma ser exatamente o que os dois lados estão tentando evitar: o fim da relação. A única alternativa é os dois lados aceitarem o "pingue-pongue" verbal como forma normal de vida e continuar juntos enquanto se acusam continuamente de ser pessoas difíceis. Ambos os lados dizem e fazem coisas terríveis ao outro e depois tentam consertar com demonstrações de carinho. Ficar junto vai se tornando irritante até ficar intolerável. Qualquer conciliação ou negociação torna-se impossível e a relação, finalmente, termina em separação.

Mesmo que a situação não se deteriore completamente, o relacionamento sofre. Às vezes, casais adquirem o hábito de evitar qualquer assunto que possa causar atrito, medo mútuo de rejeição e o fim da relação. Eles supõem que por um aspecto de seu comportamento estar sendo criticado ou rejeitado, todo o resto também o será. Essa é a maneira exata de uma criança pensar: a qualquer tipo de recusa de seus pais, a criança sente uma rejeição total. Sob tais condições, como se espera que uma relação evolua, se desenvolva e amadureça?

Quais são os remédios?

Você está envolvido em uma situação semelhante? Você considera alguém próximo uma pessoa difícil e sabe que ela pensa o mesmo a seu respeito? Faça alguma coisa a esse respeito antes que seja tarde demais. Você não apenas irá salvar um relacionamento importante como também perceberá que o esforço é uma ótima maneira de desenvolver sua autoestima e seu caráter.

Suas atitudes provêm do desejo de mudar, que nenhum de vocês consegue expressar abertamente pelo medo de que isso possa resultar em uma rejeição total. Não importa qual de vocês é a força dominante da relação: ambos se sentem fracos para realizar a mudança.

Vamos dar mais uma olhada em um de nossos exemplos. Embora Joana seja a mãe de Mark e, aparentemente, o cabeça da família, ela está preocupada com a maneira que seu filho reagirá se forçá-lo a limpar os pés antes de entrar na cozinha; teme perder sua ajuda para cuidar dos outros filhos, e precisa muito disso. Nesse tipo de relacionamento difícil, nenhum dos lados toma a iniciativa nem faz as mudanças desejadas. Aqui estão alguns passos a serem seguidos para remediar esta situação ou outra similar.

Conscientize-se do problema. Primeiro, você tem de determinar as circunstâncias em que fica propenso a desenvolver um jogo de "pingue-pongue" verbal. Mas tome cuidado! Não caia na armadilha de tentar ler a mente do outro – antes, você tem de tomar conhecimento de seus próprios problemas. Já é suficientemente difícil lidar com a sua mente!

O exercício a seguir, que pode ser chamado de "exame do inconsciente", irá ajudá-lo a descobrir o que o está incomodando, porque você tende a reagir de uma certa maneira e quais circunstâncias parecem provocar esse tipo de reação negativa.

Exercício: Examinando seu inconsciente

Primeiro, fique à vontade, com uma caneta e papel à mão. Então:

- Tente recordar-se de, pelo menos, duas discussões recentes com a pessoa em questão. Lembre das circunstâncias exatas.
- Tente analisar seus sentimentos nesses momentos. Seja honesto consigo mesmo; não esconda nada.
- Anote tudo o que você sentiu, aberta e francamente.

É importante que você use a primeira pessoa – eu – nas anotações, para enfatizar o fato de estar falando de si próprio. Escreva apenas fatos precisos e seus sentimentos: "Ontem eu me senti jogado fora e traído quando Sally me acusou de ser desonesto..." Esse processo de análise ajudará você a se ver mais claramente. Mais: escrever seus sentimentos em um papel irá ajudá-lo a ganhar objetividade a respeito do que aconteceu e tirará o drama do confronto.

Não permita que o relacionamento se deteriore. Assim que você perceber que uma relação está começando a azedar e que a outra pessoa está dizendo ou fazendo coisas para irritá-lo não espere – ataque o problema imediatamente! Você pode estar pensando que é difícil fazer algo toda vez que alguém diz ou faz algo desagradável. Como você sabe qual é a hora certa de expressar seus sentimentos negativos?

Em uma relação que não está funcionando, os dois lados acumulam "pontos" negativos. No começo, eles não somam muito e você os deixa passar sem reagir. Mas o evento gruda em sua memória, quer você goste ou não. Então, outro incidente ocorre. Outra vez você decide que não é sério o suficiente para um confronto direto e deixa passar. O segundo "ponto" negativo é somado ao primeiro. Com o passar do tempo, mais incidentes ocorrem, alguns mais sérios que os outros. Cada um se soma aos seus pontos acumulados. E então, um dia, acontece alguma coisa. Pode ser um incidente pequeno, nem metade da seriedade das coisas que já aconteceram, mas é a gota d'água, e você explode.

Esse processo é conhecido por todos os que já viveram um relacionamento. Ele também foi estudado por psicólogos que criaram uma regra aconselhando as pessoas a nunca irem dormir guardando mágoa de alguém. Uma variação dessa regra é nunca deixar passar mais de seis horas para extravasar seu ressentimento com alguém. Em outras palavras, nunca deixe um problema crescer a ponto de contaminar a relação. As mensagens hostis que o outro envia para você são pedidos reais de ajuda; não responda sendo agressivo e perpetuando o círculo vicioso. O exemplo a seguir, infelizmente, trata de uma situação um tanto comum entre casais:

Quando Marilyn e Jack tiveram seu primeiro filho, há dois anos, Marilyn deixou o emprego de desenhista de moda. Era um trabalho que ela gostava, mas Jack e sua família insistiram para que parasse de trabalhar e ficasse em casa cuidando do bebê. Marilyn teve medo de recusar – fazer isso poderia fazê-la parecer dura, indigna de ser mãe e ingrata a Jack. Ela passou por cima do seu sentimento de desapontamento e da sua crescente perda de autoestima.

Jack chega em casa cheio de histórias sobre o seu dia de trabalho e Marilyn, temendo dizer que cuidar do bebê em período integral a chateia e que sente falta de seu emprego, procura maneiras inconscientes para extravasar sua infelicidade. Por exemplo: ela esqueceu-se de chamar o encanador para vir consertar um vazamento, perdeu as chaves do carro, aceita convites para eventos que sabe que seu marido não irá gostar e coisas desse tipo. Em outras palavras, Marilyn está buscando formas de irritar Jack, sem provocar um confronto direto.

Jack admira as muitas qualidades de Marilyn, mas considera que, às vezes, é um pouco difícil lidar com ela; mas como a situação lhe é favorável no atual acordo, ele não quer fazer qualquer pergunta direta que possa atrapalhar o estado atual das coisas. No fundo, ele sabe que Marilyn é infeliz, que se sente presa e sem valor, mas não quer levantar a questão fazendo perguntas.

Como Marilyn e Jack podem resolver seu problema? Tão simples quanto parece: tudo o que eles têm a fazer é sentar e ter uma conversa franca. Eles devem, primeiro, analisar seus problemas pessoais separadamente e, então, negociar um com o outro. Como ambos temem colocar o relacionamento em risco, Jack responde ao comportamento peculiar de Marilyn com irritante indulgência e ela responde à superioridade "masculina" de Jack aparentando pouco caso; no entanto, repetem atos de pura vingança. Ambos estão, aos poucos, envenenando a existência um do outro – e a relação. Não siga o exemplo deles!

Compartilhe seus sentimentos. Como você pode ter certeza de que pontos negativos estão se acumulando em uma relação? É muito simples: quando está se comunicando bem com alguém, você se sente contente, energizado e sereno. Estes são os sinais de que o relacionamento vai bem. Quando a comunicação é ruim, você se sente pesado e vazio. Esses são os sinais de perigo e você deve agir imediatamente para restabelecer a harmonia e o equilíbrio.

Eu me lembro de um incidente que aconteceu comigo, pouco depois de eu ter estudado esses princípios que estou ensinando agora. Um de meus melhores amigos ligou-me para dizer que precisava urgentemente de uma grande quantia em dinheiro emprestada. Aconteceu de eu ter a quantia exata na minha conta bancária e não necessitar da mesma naquele momento; no entanto, sabia que iria precisar do dinheiro dentro de um mês e que estaria com sérios problemas se dentro desse período ele ainda não o tivesse devolvido. Então, ofereci-me para emprestar o dinheiro ao meu amigo sob a condição de que ele me pagaria no final do mês. Ele concordou, prometendo fazer o combinado.

Quando desliguei o telefone, uma ansiedade tomou conta de mim. Eu sabia que meu amigo vinha tendo problemas financeiros já fazia algum tempo e por isso era bem pouco provável que fosse capaz de me pagar a tempo. Em nome da amizade, eu havia concordado com algo que não me sentia bem fazendo e agora lá estava eu, pensativo, preocupado com todos os problemas que isso poderia me causar. Eu precisava fazer alguma coisa para retificar essa situação.

Pensei em meu amigo e em seus problemas financeiros. Minha oferta de ajuda, certamente, tirou uma grande preocupação de sua cabeça. Como poderia dizer-lhe que eu havia mudado de ideia sem perder sua amizade? É aqui que se aplica uma regra de ouro: nunca deixe passar mais de seis horas... Se era para perder um amigo, preferia que fosse por eu não ter emprestado o dinheiro do que por ele não tê-lo pago! Liguei novamente para ele e expliquei o motivo pelo qual eu não estava à vontade com a minha decisão. Falei dos meus problemas e do fato de não querer que isso destruísse nossa amizade, e que era por isso que eu não iria emprestar o dinheiro.

Nós continuamos sendo grandes amigos. Ele valorizava nossa amizade tanto quanto eu e também não queria destruí-la. Apreciou minha franqueza, pois foi uma grande prova do meu carinho por ele. Meu amigo não queria criar-me problemas, então procurou e achou outra pessoa, que não estava sob a mesma pressão que eu, para emprestar-lhe o dinheiro.

Mostrando sua vulnerabilidade

Aposte na franqueza e seja aberto da próxima vez que uma situação dessas ocorrer. Se você não for capaz de se abrir com alguém é porque teme ser rejeitado. Tem medo de perder o amor da pessoa que está a seu lado se não agir como acredita que ela espera – uma pessoa simpática, generosa e compreensiva –, mesmo que você ache que isso te prende e sinta-se terrivelmente explorado.

O que aconteceria se você revelasse o que realmente está pensando? Se deixasse o outro saber que você não é realmente tão generoso, paciente, simpático e compreensivo quanto aparenta? No seu sentido absoluto, a perfeição não é humana, e aqueles que fingem ser perfeitos ou cobram perfeição dos outros – os dois frequentemente andam de mãos dadas – são muitos difíceis de se suportar. Eles são uma ameaça perpétua de nos sentirmos em falta e rejeitados devido à nossa inabilidade de viver à altura de suas expectativas. Temos de reconhecer nosso valor próprio e as imperfeições dos outros – as falhas e fraquezas é que nos tornam humanos. Ser vulnerável e imperfeito nos aproxima das outras pessoas, já que isso permite que elas abaixem suas máscaras e revelem-se como realmente são.

Aproximar-se de alguém só é possível quando você aceita sua própria vulnerabilidade em vez de tentar escondê-la. Apenas aí pode ocorrer um feliz intercâmbio entre duas pessoas – quando você não tem mais de esconder sua face real nem suas necessidades. Esse é o paradoxo de ser vulnerável: quanto mais acreditarmos que somos fracos e sem valor, mais precisaremos esconder nossas "falhas" e produziremos uma imagem artificial. Convencer-se disso é a única forma de ganhar a confiança e o respeito dos outros. Quanto mais confiantes nós formos em relação ao nosso valor próprio, mais capazes seremos de reconhecer nossas falhas e imperfeições e menos precisaremos escondê-las. Saberemos que nada poderá nos fazer perder o afeto daqueles que realmente nos amam.

Você tem tudo a ganhar, revelando sua vulnerabilidade aos outros e deixando que eles saibam que teme ser rejeitado e que estima o respeito e afeto deles. Fazer isso, certamente, melhorará a estabilidade do relacionamento.

Ultrapassando o ressentimento

Durante o "pingue-pongue" verbal, todos os tipos de coisas que foram se acumulando com o tempo vêm à tona. Cada reprovação vem de algum tipo de frustração, de algum incidente que foi guardado como uma amarga memória. Esse acúmulo de frustrações constrói uma enorme quantidade de ressentimentos e acaba por explodir. Essa explosão serve apenas para alimentar nossos sentimentos de ódio e ressentimento, criando um círculo vicioso que, felizmente, pode ser rompido.

A anatomia do ressentimento

Não é difícil de entender o ressentimento: ele é produzido toda vez que uma ação não corresponde a uma expectativa. Por exemplo, digamos que seu filho foi rude com você. Também, você não queria que fosse totalmente dócil e bom o tempo todo! Se for capaz de aceitar o comportamento da criança como normal ou se puder amá-la apesar disso, esse comportamento não produzirá nenhum sentimento de animosidade ou ressentimento em você. Isso não significa que tem de gostar disso, mas você pode tolerar da mesma forma que suporta o tempo frio no inverno ou uma gripe. Você não guardaria ressentimentos de uma gripe, guardaria?

Ressentimentos, por outro lado, acontecem porque você tem expectativas. Por exemplo, quando trabalho com um grupo de pessoas, às vezes sou um pouco impaciente. Algumas pessoas acham isso estimulante e até me agradecem; outras reclamam porque acreditam que eu deveria ser gentil e paciente o tempo todo. Nós temos uma imagem de como achamos que as pessoas devem se comportar, da mesma forma que elas têm uma imagem nossa. O problema é saber a que ponto devemos tentar nos adaptar às expectativas dos outros.

Uma coisa é certa: nós não somos obrigados a preencher as expectativas dos outros. Temos nossas próprias expectativas e eles também. O essencial para um relacionamento saudável é sermos capazes de comunicar nossas expectativas, então, ambos os lados saberão contra o que estão lutando e tudo passa a ser questão de negociação: me esforçarei se você também fizer isso, assim nós dois poderemos ser vencedores nesse relacionamento.

A quem seu ressentimento machuca?

Você permitiu que vários pontos negativos se acumulassem no seu relacionamento com certa pessoa. Você, pacientemente, catalogou suas frustrações e elas foram formando, gradualmente, uma pequena bola de peso, amargura e assuntos ruins que você carrega permanentemente. Essa bola de veneno é o seu ressentimento.

Está na hora de tomar conhecimento de que é você quem mais se machuca com o seu ressentimento. A pessoa contra quem você guarda esse ressentimento pode até nunca vir a saber disso! Isso significa que você é perdedor duas vezes: primeiro, por causa da frustração ou do desapontamento inicial que sentiu; e segundo, porque carrega esses sentimentos negativos e sofre todas as consequências a eles associadas. Ainda assim, há pessoas que prefeririam morrer a abandonar seus ressentimentos. O ódio é transmitido até de uma geração para outra; então, na hora, as pessoas sabem quem odiar mesmo que já tenham esquecido o porquê.

O chefe de Ben é um tirano que comanda o departamento como um senhor de escravos, dominando e às vezes ferindo seus colegas sem nem se dar conta do que está fazendo – um típico "rolo compressor". Até mesmo pensar no chefe faz a bola de ressentimento de Ben latejar. Ele, realmente, odeia o chefe, e não é o único no escritório que tem esse sentimento. Mas esse ódio está envenenando a vida de Ben. Ele tem de se esforçar para ir trabalhar todas as manhãs e sempre que seu chefe pede-lhe que faça alguma coisa, ele reclama e obedece com relutância.

Ben está de mau humor desde que seu novo chefe foi nomeado e as repercussões disso estão começando a aparecer em sua vida pessoal:

ele tem perdido a paciência com sua esposa e com seus filhos muito mais facilmente e a atmosfera fica pesada e densa quando Ben está por perto. Ele tem tido dificuldade para dormir, tamanha sua obsessão em buscar formas para descarregar seu ressentimento, embora não faça nada de concreto para isso. Está se tornando impossível conviver com Bem; seu ressentimento o está devorando e arruinando sua saúde, podendo levá-lo a "pendurar as chuteiras". O que acontecerá a ele se não se curar?

O chefe de Ben, enquanto isso, não perdeu nenhum minuto de sono. Sua consciência está limpa. Ele nem está sabendo que há algo de errado com a maneira como trata seus subordinados. De fato, ele percebe que algumas pessoas de seu departamento são de difícil trato, especialmente Ben, que parece ser muito negativo o tempo todo. Ele não será capaz de mantê-lo no cargo...

Quem sofrerá mais com o ressentimento de Ben – ele ou o chefe?

Livrando-se do ressentimento

O remédio para o ressentimento é tão simples quanto o próprio problema: já que o ressentimento resulta de ações que não corresponderam ao que esperávamos de alguma imagem idealizada de alguém, tudo o que temos a fazer é mudar a ação – ou a imagem. Se nós olharmos nosso exemplo, deixaremos Ben com duas opções.

Ben pode fixar-se no trabalho, tentando mudar o comportamento de seu chefe fazendo-o saber que há um problema na maneira como ele trata seus funcionários. Se ninguém nunca disse nada antes, o chefe de Ben pode vir agindo com a melhor das intenções do mundo e, nesse caso, ficará muito feliz que alguém tenha, finalmente, sido sincero o suficiente para chamar-lhe a atenção para esse problema.

Tente lembrar-se das pessoas que você conhece e que causam ressentimento nos outros sem perceber. Você não acha que as estaria ajudando deixando-as saber que há algo de errado com seu comportamento? Eu conheci pessoas assim que foram capazes de melhorar consideravelmente suas relações depois de terem sidos avisadas de que o que faziam irritava aos demais.

Eu também conheci pessoas que se recusaram a mudar, achando que os outros é que deviam adaptar-se a elas, não o contrário. É uma questão de ponto de vista e de poder. É aqui que a segunda opção se torna útil. No caso de Ben, é muito improvável que ele consiga modificar o comportamento do seu chefe. Então, ele terá de viver com o ressentimento, o que poderá levá-lo a precisar de uma aposentadoria antecipada e inesperada, ou poderá trabalhar para aceitar o chefe como ele é. Além disso, de onde ele tirou a ideia de que o chefe tinha de ser compreensivo, generoso e justo? O chefe de alguém realmente corresponde a essa imagem de forma completa? O próprio Ben apresenta as virtudes que ele cobra de seu chefe?

Como você pode ver, não seria muito difícil transformar esse terrível ressentimento em uma simples desavença sobre a forma como o departamento deveria ser comandado, com o que seria muito mais fácil de conviver.

Mudando uma situação que já dura há muito tempo

É possível modificar um comportamento que causa ressentimento. Por exemplo, meu vizinho me enlouquece, pois todo domingo de manhã ele corta lenha para sua lareira com uma poderosa serra. Nesse caso, posso conseguir achar um jeito de fazê-lo parar ou estar fora de casa a essa hora. Mas o que eu posso fazer a respeito de uma injustiça que ocorreu dez anos atrás por alguém que não vejo desde então, mas por quem ainda guardo muito ressentimento, como se tivesse sido ontem? Eu posso fazer algo para modificar a ação? Não – o mal está feito e não há jeito de voltar no tempo e cobrar desculpas ou compensação. Eu posso mudar minha imagem sobre o acontecido? Não – eu nunca consideraria o que aquela pessoa fez comigo como um comportamento aceitável. O que fazer? Estou condenado a viver com essa bola de ressentimento até o fim de meus dias?

Seu programa de treinamento

Felizmente, situações que envolvem "pingue-pongue" verbal e pessoas que você acha difíceis devido a ressentimentos são terrenos férteis para se colocar medidas contrárias em prática. O programa de treinamento a seguir pode ajudá-lo a alterar suas relações interpessoais.

Exercício: Trabalhando no ressentimento

Primeiro, pegue uma folha de papel e faça uma lista de todas as pessoas por quem você guarda ou já guardou o mínimo ressentimento. A seguir, para cada pessoa da sua lista, responda às seguintes questões:

- Qual a causa de meu ressentimento em relação a essa pessoa?
- Quais de minhas expectativas não foram atingidas por essa pessoa?
- Como posso colocar um fim em meu ressentimento (mudar minha imagem, satisfazer minhas cobranças, etc.)?

Escreva suas respostas – e coloque-as em prática!

Limpando a comunicação

Uma forma de saber se você está envolvido em uma partida de "pingue-pongue" verbal é não cuidando de suas responsabilidades, por mais que pareçam sem importância. Aceitando uma responsabilidade você cria uma expectativa e não cuidando disso estará causando sentimentos de frustração. Aqui estão algumas áreas que podem ser fontes de frustrações para os outros e pelas quais você facilmente pode fazer alguma coisa:

- Cuide de toda comunicação pendente (mensagens que você não enviou, cartas ou agradecimentos que você registrou e "esqueceu" de escrever, visitas que prometeu fazer e não cumpriu, etc.).
- Desculpe-se por toda responsabilidade ou compromisso de que não conseguir dar conta (devolvendo um livro, ajudando com o trabalho doméstico...).

- Limpe qualquer área imprecisa ou vaga em sua comunicação (você esqueceu-se de mencionar um aumento ou de contar que levou alguém para jantar, etc.).
- Pare de manter as coisas em segredo e de dizer mentiras, principalmente em áreas onde você se sente confiante o bastante para mostrar sua vulnerabilidade.

Preparando uma reconciliação

Aqui está uma forma de aproximar-se de alguém para reconciliarem suas diferenças. Escrevendo as coisas que quer dizer, você não esquecerá nada na hora da conversa:

- Explique claramente seu medo de rejeição.
- Se o outro recusar-se a se abrir para você, explique seus sentimentos em detalhes.
- Utilize a primeira pessoa ao falar (Eu) para deixar claro que está falando apenas de si mesmo.
- Acima de tudo, não tente ler os pensamentos do outro; não ponha palavras na boca dele. Não há coisa mais irritante do que ouvir alguém dizer: "Ah, sim, eu sei exatamente o que você está pensando..."
- Deixe claro que a amizade ou o afeto que você sente pelo outro não está em questão.
- Finalmente, reconheça suas próprias falhas e fraquezas, e mostre à outra pessoa que você é vulnerável.

Aprendendo a perdoar

O perdão real é um sentimento de aceitação. Não é uma questão simplesmente de esquecimento ou de negação dos sofrimentos e erros do passado: perdão real significa relembrar serena e harmoniosamente, sem experimentar nenhum tipo de emoção negativa.

Ser capaz de considerar eventos passados com calma e serenidade requer uma transformação interior muito difícil de realizar consigo mesmo, sem ajuda externa. O processo que estou sugerindo tem de ser feito em um estado de profundo relaxamento, que esse livro ensina no Apêndice 3.

Capítulo 6

Quatro Estágios Importantes

Nós, frequentemente, temos de lidar com pessoas cujas personalidades negativas causam-nos problemas: um chefe que repentinamente explode com um erro sem importância; um lojista que se recusa a ajudá-lo; um parceiro que vem reprimindo frustrações o dia todo e explode com você...

Qualquer que seja o tipo de dificuldade que você encontrar, precisará de uma estratégia efetiva para lidar com ela e de maneira de transformar uma situação difícil em oportunidades para o sucesso em vez de para o fracasso. A seguinte estratégia foi desenvolvida por um psicólogo americano e posso garantir-lhe a eficácia. Ela consiste nestes quatro estágios:

1. Avalie a situação.
2. Pare de tentar mudar a outra pessoa.
3. Aprenda a se distanciar.
4. Adote uma estratégia e aplique-a

Um quinto estágio nesse processo seria analisar os resultados de seu comportamento após ter colocado o programa em prática, o que permitirá a você modificar sua estratégia dependendo de quão bem-sucedida ela tenha sido.

Avalie a situação

Como já vimos, um comportamento difícil pode ser resultado de circunstâncias negativas na vida de uma pessoa naquele momento. Como tendemos a culpar os outros pelas nossas faltas muito rapidamente, a primeira coisa que você tem a fazer é certificar-se de que está realmente confrontando-se com um caso difícil. Se a situação não estiver clara, precisará fazer-se algumas perguntas. Dessa maneira, evitará culpar-se depois por ter feito uma avaliação incorreta. Examinaremos as questões, uma a uma.

Esse é um comportamento típico?

Uma forma de descobrir é sabendo o que desencadeou o conflito; se você for honesto consigo, não terá qualquer problema em perceber quais as exatas palavras ou gestos que levaram ao conflito. Isso permitirá que julgue se o problema foi iniciado por você ou pela outra pessoa. Você também poderá checar se semelhantes circunstâncias sempre surtem efeitos semelhantes e se isso ocorre frequentemente. Por exemplo:

Jeanette e Charles são biólogos que foram escolhidos para trabalhar juntos em um projeto de pesquisa. Desde o início, Jeanette achou seu colega rabugento e sem as qualificações necessárias para trabalhar efetivamente em um projeto de tal importância. Após duas semanas, Jeanette está com a paciência esgotada. Além de não ser sociável, Charles também se recusa a dividir informações científicas com ela. A atmosfera no pequeno laboratório em que eles gastam dias inteiros juntos tornou-se insuportável. Jeanette acha cada vez mais difícil dormir e seu trabalho começa a sofrer as consequências.

Finalmente, depois de uma discussão cara a cara com Charles, Jeanette decide ir à raiz do problema. Ela, discretamente, passa a fazer perguntas a colegas que também conhecem Charles, na tentativa de descobrir seu comportamento no passado. A cada vez que ele é negativo com ela, escreve as circunstâncias que provocaram o conflito. Seus esforços foram recompensados. Em menos de uma semana, Jeanette conseguiu criar um pequeno relatório sobre o comportamento de Charles.

Ele pedira uma transferência pouco antes de ter sido escalado para o trabalho com Jeanette e seu pedido fora recusado. Charles havia se formado em uma universidade muito menos prestigiada do que a de Jeanette e quando ela entrou na companhia, rapidamente correu o boato de que vinha de uma universidade ótima. Disso tudo, Jeanette concluiu que Charles ficou desapontado com a decisão de seu superior em recusar sua transferência. Além disso, ser forçado a trabalhar com o "gênio" da companhia ameaçou sua autoimagem e reforçou a sua recente rejeição. Tendo avaliado a situação dessa forma, Jeanette pôde perceber que o comportamento de Charles era devido às circunstâncias e não parte de sua personalidade, que seria o caso de uma pessoa realmente difícil. Isso encorajou-a a enfrentar o problema abertamente. Ela teve uma conversa franca e deixou claro que não pretendia deixar a situação continuar – ela não queria ser a responsável por seu mau humor, já que não era mesmo a responsável. Em pouco tempo, Charles descobriu que Jeanette é a melhor bióloga que já conheceu e seu trabalho em conjunto foi extremamente gratificante.

Isso é essencial para você analisar a situação. Faça como Jeanette – escreva os eventos que resultaram em conflito e você terá um padrão ou uma série de circunstâncias por trás da cena que esclarecerão rapidamente a situação difícil.

Você é explosivo?

Há algumas situações que parecem levar-nos a isso o tempo todo – situações que não podemos tolerar, que nos fazem subir pelas paredes até que explodimos em um ataque de raiva incontrolável, para espanto dos outros. Reações exageradas produzem sentimentos de aversão imediata por alguém, fazendo com que nos irritemos por pouco ou que sejamos rudes sem necessidade. Na nossa cabeça é o outro, ou são os outros, que está sendo difícil. Como eles nos veem?

Provavelmente, você notou que quando desenvolve aversão por alguém a mínima ação ou gesto vindo dessa pessoa já se torna irritante. Se tem essa tendência, então é melhor ser honesto o suficiente para admitir isso. Em vez de insistir para que as outras pessoas sejam menos difíceis com você, tente ser um pouco mais fácil com elas! Uma análise pode ajudá-lo a avaliar se suas reações são exageradas ou justificáveis. Para isso, tente fazer o que segue.

- Folheie sua agenda ou busque na memória por relacionamentos desse tipo pelos quais você passou. Se cair nessa categoria,

não terá muitos problemas já que esse tipo de relações difíceis incomoda muito e é difícil de se esquecer.
- Faça uma lista dessas pessoas. Se houver alguém em sua vida no momento que se encaixe nessa descrição, utilize-o como tema para esse exercício.
- Procure profundamente dentro de você e tente achar uma razão para achar essa pessoa tão difícil. Quando começou a se sentir incomodado com a presença dela? O que exatamente te incomoda nela? A atitude? O estilo de vida? A voz? personalidade? A forma de se vestir? De rir?
- Tente relembrar suas próprias reações e o que tira essas pessoas do sério.

Uma discussão franca esclarecerá tudo?

Essa é a terceira pergunta que Jeanette se fez quando descobriu as causas que estavam por trás do comportamento negativo de Charles e foi capaz de identificar seu próprio papel na situação. Se você se encontra encarando uma pessoa que, como Charles, foi se tornando amargo por decepções pessoais, ambições frustradas, conflitos profissionais, etc., é possível ultrapassar a barreira entre vocês sem prejudicar nem o outro nem você e, ao mesmo tempo, se afirmar. Aqui está o que fazer:

- Proponha um encontro. Se necessário, estabeleça um local e horário definidos. Tente certificar-se de que não serão interrompidos e mostre à pessoa que você leva o problema a sério.
- Comece a discussão declarando que você acredita que a situação entre vocês não está clara; que há algo errado, com certeza.
- Espere pela reação da pessoa.
- Dependendo de como ela reagir, determine com que tipo de pessoa difícil você está lidando. (Você pode querer ler os primeiros capítulos deste livro para refrescar a memória.)
- Seja diplomático! Por exemplo, Jeanette não chegou dizendo: "Olha, eu sei tudo o que aconteceu a respeito de sua transferência e também sobre sua insegurança."
- Acima de tudo, não seja condescendente ou arrogante.
- Finalmente, uma coisa que não cansamos de repetir – não tente ler os pensamentos da outra pessoa.

Jeanette deve ter conduzido sua conversa com Charles da seguinte forma:

"Eu sinto que há uma certa tensão entre nós e que isso está começando a afetar nosso trabalho. Eu não tenho tanta experiência quanto você e estava esperando aprender muito e melhorar meus métodos trabalhando com você, mas isso não está acontecendo. Você acha que somos incompatíveis? Gostaria de saber o que você pensa sobre isso."

Pare de tentar mudar a outra pessoa

Nós temos uma capacidade extraordinária de criar ilusões sobre as pessoas à nossa volta, especialmente sobre aquelas a quem amamos. Embora estejamos acostumados a amar as pessoas apesar de suas falhas, frequentemente esperamos que um dia elas mudem e fiquem mais próximas da imagem idealizada que temos delas. Finalmente, chega o dia em que percebemos que mudar uma pessoa está fora de nossos poderes – especialmente se a mudança desejada for contra a vontade da pessoa em questão. Quando esse dia chega, ou passamos a amar a pessoa por quem ela é ou paramos de amá-la por inteiro – é aí que mora o perigo.

Isso não é negar nossa capacidade de mudança. Todo ser humano evolui durante todo o curso de sua existência. O ambiente nos modifica, assim como a vontade própria, e isso continua até uma idade muito avançada, mas é durante os primeiros 12 anos de vida que somos mais maleáveis, e mesmo assim temos muita dificuldade em fazer nossos filhos se adaptar às nossas vontades. Uma vez que chegamos à idade adulta, nossa evolução fica quase completamente fora do controle consciente de qualquer outra pessoa.

Desejos não são realidade

Tente lembrar-se da última vez que você teve um encontro desagradável ou doloroso com alguém e disse a si mesmo: "Se ele fosse menos nervoso!" ou " Se ele fosse um pouco mais tolerante..." ou "Se ao menos meus filhos fossem menos egoístas..." e coisas desse tipo. Nossos erros consistem em acreditar que os outros deveriam se adaptar aos nossos desejos, e quando eles não se adaptam nós os culpamos por isso. Nós os intitulamos de difíceis ou intolerantes, egoístas ou exigentes, etc.

A coisa mais importante é perceber que estamos lidando com seres humanos reais e que todos têm defeitos e qualidades. As outras pessoas não são criações da nossa imaginação – não podemos eliminar os aspectos de suas personalidades que não correspondam às nossas expectativas nem dar-lhes qualidades que achamos que deveriam possuir. É por isso que fico tão contente quando alguém me diz que o desapontei. Para mim, isso significa que a pessoa não esteve em contato com quem eu realmente sou, mas com uma projeção de quem elas acham que sou, ou seja, com elas mesmas.

Você pode influenciar as atitudes das pessoas

A coisa mais inteligente a se fazer é tornar-se consciente da realidade das pessoas ao nosso redor, daquelas que nos agradam e das que não. Também podemos contribuir significativamente para sua felicidade e autorrealização, se elas quiserem isso. Enquanto deve fazer o possível para melhorar uma situação entre você e uma pessoa difícil, em circunstância alguma deve tentar modificar a personalidade dela. Você não terá sucesso e isso não será de nenhuma utilidade. A única coisa a ser feita é modificar a atitude dela para com você. Expondo o problema ou conflito, você ajuda o outro a se ver mais claramente, assim como é capaz de se ver melhor agora.

É tornando-nos conscientes das forças, desejos e repulsas que nos fazem agir de determinadas formas que melhoraremos nossa capacidade de controlar nossas vidas, de nos afirmar e de obter realizações.

Aprenda a se distanciar

Como veremos mais detalhadamente, é indispensável aprender como se proteger dos estragos que pessoas difíceis e situações de conflito podem causar. Quando estamos diante de uma relação difícil, tendemos a nos envolver profundamente; perdemos o sentido de objetividade; nossa vida diária é rapidamente afetada, já que ficamos preocupados com o problema – podemos até ficar obcecados em relação à pessoa difícil e aos problemas que ela vem causando. Foi isso o que aconteceu a Jeanette. Esmagada por seus problemas com Charles, ela tornou-se incapaz de dormir e não podia trabalhar da forma correta, até concluir consigo mesma que precisaria analisar a situação objetivamente.

Mas manter distância de alguém que exerce forte influência sobre nós não é tão fácil quanto falar. Pessoas difíceis parecem saber como desencadear emoções negativas – o que elas dizem ou fazem já é o suficiente para nos transtornar. É por isso que dedicamos um capítulo inteiro às técnicas para se proteger, o que irá ajudá-lo a se manter distante.

Adote uma estratégia e a aplique

Em seus intercâmbios com pessoas difíceis há apenas dois tipos de estratégias para se escolher: ou você se envolve em uma poderosa luta com o objetivo de ser o campeão ou procura formas de alcançar resultados satisfatórios enquanto leva em conta as necessidades da outra pessoa.

Como já vimos em capítulos anteriores, há diferentes tipos de pessoas difíceis, então, como consequência, nossa estratégia vai depender do tipo de ataque a que você está sujeito. Quando olhamos para o mundo ao nosso redor, vemos que há uma luta pela sobrevivência, na qual o peixe maior engole o menor e o mais forte domina o mais fraco. Há uma grande tentação em considerar nossas relações com pessoas difíceis como uma luta, em que o objetivo é ganhar a mão erguida. No entanto, você deve, provavelmente, ter percebido que nós evitamos sugerir que isso se torne o principal objetivo de seu treinamento.

Evite situações de ganha-e-perde

Quando você tem uma situação de ganha-e-perde, o perdedor não vai descansar enquanto não achar uma forma de se vingar. Mas se pensar, embora o reino animal se baseie no equilíbrio entre o forte e o fraco, não vemos em qualquer lugar um animal fraco esperando pacientemente para se vingar de outro animal por uma humilhação passada. Essa é uma característica tipicamente humana, que, como bem sabemos, resulta em todos os tipos de desastres: guerras, fome, destruições desnecessárias, etc.

É por isso que objetivamos retomar a comunicação a partir do ponto em que ela se quebrou e definir a sua posição, assim como a da outra pessoa, se necessário. Não deixar alguém passar por cima de você não significa dominá-lo – mas apenas não deixar que ele o domine e, baseado nessa afirmação, fazer alguma coisa construtiva em relação à situação.

A atitude do ganha-e-ganha

Outra forma de aproximar nossos relacionamentos é buscar produzir uma situação que satisfaça nossas necessidades assim como as do outro.

No Capítulo 5, analisamos o processo por meio do qual acumulamos pontos negativos a cada vez que nos revelamos e perdemos. Quando vencemos, marcamos pontos positivos. Há pessoas pelas quais não sentimos especial simpatia e que nos surpreendem com coisas e atitudes generosas para conosco. A cada vez que nos sentirmos vitoriosos em nossos relacionamentos para com eles estaremos, consciente ou inconscientemente, marcando um ponto de ouro a favor deles. Dia chegará em que farão algo que pese na balança e nós experimentaremos um imenso sentimento de gratidão por eles.

Vencer forçando alguém a perder, finalmente, significa que você também está perdendo. Estamos todos no mesmo barco e, se eu fizer um buraco porque quero que você afunde, afundarei junto. A escolha de ser um vencedor fazendo dos outros perdedores, na verdade, não é real. A verdadeira escolha é: ou nós dois vencemos juntos ou perdemos juntos. É por isso que devemos desenvolver uma atitude de ganha-e-ganha.

A escolha é sua

Você pode escolher entre criar um relacionamento baseado em força e dominação – que certamente dará errado – ou procurar uma forma de satisfazer a ambas as partes. Quando enfrenta uma pessoa difícil, você tem de ter muito claro em sua mente a estratégia que pretende usar: você vai tentar esmagar a pessoa para experimentar o prazer da vitória ou vingança? Ou você vai se proteger e, então, procurar maneira de estabelecer um diálogo construtivo? Essas duas opções estão sempre disponíveis, a única variável é a sua escolha de aproximação.

Tornando-se consciente da interação negativa

O principal problema em aplicar uma aproximação ganha-e-ganha é que a negatividade que caracteriza a comunicação pode facilmente gerar mais negatividade em você – o velho círculo vicioso. Às vezes estamos tão transtornados e exasperados que qualquer possibilidade de melhorar a situação ou de chegar a uma conclusão positiva parece muito distante.

Quando você é o alvo de raiva, calúnia ou injustiça, pode sentir tudo, menos a possibilidade de se controlar e de não ter uma reação no mesmo estilo.

No entanto, se quer se afirmar, melhore a situação e, ao mesmo tempo, ajude muito o outro. Então, você não tem escolha. Terá de aprender a controlar a maneira como reage para quebrar um círculo vicioso e estabelecer um ciclo de interação positiva.

Para atenuar situações de conflito e começar a se comunicar com uma pessoa difícil, você deve responder à raiva com paciência, à desdenha com respeito e às más intenções com benevolência. Se acha que isso é tarefa para super-heróis, o simples fato de ter lido isso é suficiente para provar que desenvolver esses reflexos não será muito difícil para você. Tudo o que tem a fazer é praticar os exercícios sugeridos mais adiante.

Empenhe-se em uma interação positiva

Aqui estão algumas boas notícias: da mesma forma que o negativo atrai mais coisas negativas, o positivo atrai mais coisas positivas – o difícil é reverter a corrente.

Nós analisamos como pessoas difíceis parecem ter a capacidade de trazer à tona o pior de nós e então nos encontramos fazendo a mesma coisa que criticamos nelas. Entretanto, mesmo sendo uma pessoa difícil, ela continua sendo capaz de responder positivamente aos tipos certos de estímulo+; todo mundo (quase) possui os recursos necessários para se tornar uma pessoa aberta, positiva e comunicativa.

Condições para o sucesso

Para começar o processo, você deve recusar-se a participar de qualquer jogo destrutivo. Então, quando tentarem envolvê-lo em tais jogos, corte, você poderá ser o motor que empurra o relacionamento em uma direção positiva.

Por exemplo, digamos que você está pronto para utilizar o ganha-e-ganha com seu chefe "rolo compressor", com seu colega incisivo, com sua esposa lamurienta e com seu vizinho fechado. Você não vai permitir que o que quer que eles digam ou façam venha a atingi-lo. Você está no enquadramento perfeito de mente: seja firme e será bem-sucedido. Mas, por favor, não torne sua tarefa mais difícil do que ela realmente é escolhendo o momento errado: certifique-se de que seu escolhido não está sob muita pressão ou especialmente vulnerável no momento por causa de um desmedido estresse causado por excesso de trabalho, doença, sérios problemas pessoais ou coisa parecida. Se não fizer isso, você corre o risco de transtornar o delicado equilíbrio que a pessoa está tentando manter para passar por um período difícil. Você a encontrará muito mais resistentes do que em outros momentos e sua tentativa, provavelmente, falhará. No entanto, depois que a crise passar, a mesma pessoa pode mostrar-se pronta para mudanças.

Há duas lições a se aprender com isso: primeira, você não pode forçar as coisas; segunda, não desanime por não ter conseguido na primeira tentativa. Deve ser apenas uma dica de que ainda não é o momento certo.

Obviamente, você também não deve estar sob muita pressão. Para trazer uma bem-sucedida conclusão à sua operação, terá de recorrer a todos os seus recursos de paciência, compreensão e adaptação, e para fazer isso, precisará estar em ótima forma. Isso pode parecer óbvio, mas verá como frequentemente mostramos sinais de estar sob pressão excessiva sem nos darmos conta. Tenha certeza de que, antes, você analisou a sua própria situação. Se passou por uma crise séria nos últimos meses, espere até sentir que recuperou seu senso de equilíbrio. Se não for assim, você não terá energia par lidar com a situação da maneira correta. Cuide de si mesmo e, depois, lide com os outros...

Outra boa precaução a ser tomada antes de confrontar-se com uma pessoa difícil é pensar no que você fará se seus esforços falharem. Pergunte-se qual seria a pior consequência possível se você não tentasse retificar a situação. Anote em seu caderno para consultar depois, quando for avaliar a eficácia de suas ações. Agora, pergunte-se quais soluções poderiam funcionar se sua primeira tentativa não der certo.

Não há nada pior do que sentir que caímos em uma armadilha, especialmente se ela não for real. Nós não somos condenados a viver com alguém com quem achemos impossível, ou a trabalhar para ou com alguém que transforme nossa vida num inferno. Sempre há, pelo menos uma e, geralmente, várias alternativas abertas para nós. Se você achar que não tem qualquer outra alternativa, ficará contra a parede. O fato de ser muito ansioso para conseguir resultados irá reduzir seriamente suas chances de conseguir ter sucesso. Por outro lado, se você tiver outras chances, passará a ser mais objetivo – e muito mais efetivo – depois de uma falha inicial.

Você pode, finalmente, decidir que deixar as coisas como estão é melhor do que tentar novamente uma reconciliação. Você tem todo o direito de fugir e deixar a pessoa difícil com seus próprios problemas. Os prós e contras devem ser avaliados cuidadosamente antes de agir. Você deve ter consciência dos riscos que está correndo, dos perigos envolvidos e das possíveis consequências. Feito isso, esqueça suas dúvidas e concentre todos os seus esforços nos efeitos positivos que você deseja produzir. A diferença entre vencedores e perdedores é que estes pensam naquilo que têm medo que aconteça, enquanto os vencedores pensam naquilo que querem que aconteça.

Capítulo 7

O Poder Positivo das Palavras

Palavras são armas. Podem cortar tanto quanto uma faca e as feridas que elas deixam são menos visíveis, mas tão dolorosas quanto. Mas também são instrumentos de cura e de prazer. Podem ser usadas para acalmar alguém, para prosseguir com um diálogo e para negociar. Em capítulos anteriores, vimos formas de nos defender de ataques enquanto nos mantemos calmos e no controle. Agora vamos concluir algumas técnicas às quais você foi exposto, para ajudá-lo a evitar palavras abusivas e pavimentar um caminho de negociações frutíferas.

Os três mandamentos da defesa

Usar palavras para se defender requer compreensão e mestria em três princípios básicos:

- Reconhecer um ataque.
- Adaptar sua defesa.
- Levar sua defesa até o fim.

Reconhecendo um ataque

Alguns ataques são óbvios. Quando um motorista raivoso salta de seu carro com o punho erguido e investe contra você gritando absurdos, pode ter certeza de estar lidando com um ataque verbal que pode se tornar físico. Sob outras circunstâncias, podemos achar que estamos sendo atacados quando não estamos. Algumas pessoas são irritadiças e se ofendem até mesmo com as melhores intenções do mundo. Se você é uma dessas pessoas, tome cuidado para não ver maldade onde não há. Finalmente, alguns ataques são tão disfarçados que não parecem, de forma alguma, um ataque. Isso pode parecer sem importância se considerarmos que um ataque só traz problemas quando nos afeta e, se não o notamos, ele não pode nos atingir! No entanto, há um útil provérbio chinês que diz: "Gotículas de água podem ser mais prejudiciais que uma violenta tempestade, pois elas podem acabar rachando a rocha mais dura, enquanto a tempestade a deixará intacta."

Ataques verbais podem não ser reconhecidos, ou porque são bem disfarçados e sutis ou porque vêm de uma pessoa com quem achamos ter um relacionamento positivo, por exemplo:

Mary tem uma filha de 19 anos, Louise, que é uma adolescente agradável e afável, com um bom coração e um sorriso campeão. Em algumas ocasiões, Mary percebe que Louise chega em casa de mau humor. Ela parece atormentada e a ponto de cair no choro à mínima provocação. Depois de uma observação mais apurada, Mary foi capaz de dizer que o humor de Louise muda quando ela sai com sua melhor amiga, Carol, mas, quando questionada, Louise insiste em dizer que Carol continua sendo sua melhor amiga.

Mary está determinada a chegar à raiz do problema. Passou a observar Carol, sempre que ela vai visitar Louise e, rapidamente, percebeu que sua filha está sendo vítima de Carol, sem perceber. Durante suas conversas, que aparentemente parecem amigáveis, Carol constantemente alfineta Louise com pequenos e afiados ataques verbais, tão sutis que são quase imperceptíveis. Louise, entretanto, não tem ideia de que está sendo vítima de um fluxo constante de abuso verbal.

Por exemplo, Louise é um pouco insegura devido à sua magreza, mas isso nunca a incomodou até Carol, calmamente, dizer: "Comprei meu vestido para a festa. É bem curto. Obviamente, não são todas as pessoas que podem usar esse tipo de vestido." Dessa forma, Louise está, aos poucos, sendo envenenada por sua relação com Carol e, sem saber, é esse o motivo que se esconde por trás do seu aparentemente inexplicável mau humor.

Esse tipo de ataque se encaixa na categoria dos ataques de comentários maldosos. Por ser mais sutil, é mais difícil de ser detectado do que os outros ataques, mas é tão prejudicial quanto. A lição aqui é proteger-se a todo custo de pessoas tóxicas e recusar-se a colocá-las em seu círculo de amigos e conhecidos. Ou deixe que saibam que devem mudar seu comportamento ou distancie-se delas de uma vez.

Adaptando sua defesa

Você tem de aprender a adaptar sua defesa ao tipo de ataque que está sendo direcionado para você – não apenas em termos de qualidade, mas também de intensidade. Seria inútil gastar muita energia reduzindo adversário inexperiente a lágrimas. Em primeiro lugar seria covardia e, em segundo, seu objetivo não é destruir ninguém, mas sim responder de uma forma que possa ajudar.

Somos todos capazes de nos afirmar sem esmagar outras pessoas. Infelizmente, muitos se recusam a compreender esse simples princípio. Por exemplo, "se você me amasse de verdade, não gastaria tanto", diz um marido à sua esposa. A mulher, usando uma das técnicas que aprendemos anteriormente, poderia dizer algo como, "Não é curioso que tantos homens tenham a impressão de que suas esposas não os amam...?" O confronto poderia, e deveria, acabar aí. O marido, sem dúvida, se surpreenderia com a reação objetiva de sua esposa e, provavelmente, mudaria de assunto o mais rápido possível.

Por outro lado, a esposa poderia ter dado uma resposta diferente: "É interessante que vários homens, quando chegam à sua idade, começam a achar que suas esposas não os amam mais." Com essa pequena cutucada, ela se vingou. Se você cair nesse tipo de tentação, pode esperar que a discussão continue e esteja suficientemente "armado" para responder a qualquer ataque subsequente. Se está lidando com alguém que é próximo a você, esse tipo de contra-ataque, provavelmente, levará a um "pingue-pongue" verbal. É muito melhor evitar isso, porque mais cedo ou mais tarde você pagará o preço.

Levando sua defesa até o fim

Defender-se contra uma pessoa pode requerer ser duro e incisivo. Se você não está acostumado a agir desse jeito, pode começar a se sentir culpado, indeciso e reduzir seus esforços pela metade. Autodefesa verbal não é uma incitação para a violência. Pelo contrário, o objetivo é colocar um ponto final à violência que está sendo perpetrada contra você. Isso o autoriza a se afirmar e obter o que quer sem ter de recorrer à força. Então, não pare no meio do caminho e não permita que a surpresa o paralise. Seja firme e enérgico!

Os tipos mais frequentes de ataque

Nós já vimos alguns tipos diferentes de ataque lançados por pessoas difíceis. Nesse capítulo, oferecemos mais exemplos, classificando-os precisamente de acordo com o tipo de ataque que representam. Você pode usá-los para planejar e preparar suas contramedidas. Primeiro, vamos ver os dois principais tipos de ataques sutis.

Acusações disfarçadas

Acusações disfarçadas são os ataques verbais mais fáceis de serem desarmados, desde que você seja capaz de se manter frio diante da situação. Aqui estão os tipos mais comuns e, com um pouco de prática, será capaz de reconhecê-los imediatamente.

Tipo A: "Se você realmente..."

- Adolescente para os pais: "Se vocês realmente querem que eu vá bem na escola, precisam me comprar um computador."
- Cônjuge para o parceiro: "Se você realmente me ama, não deveria falar assim comigo..."
- Professor para aluno: "Se você realmente quer passar no exame, não deveria cabular todas as segundas aulas..."
- Médico ao paciente: "Se você realmente quer perder peso, não deveria comer tantos doces..."

Cada uma dessas acusações disfarçadas implica algo:

- "Vocês não ligam se eu vou bem ou não na escola... portanto não são bons pais."
- "Você não me ama, por isso não mostra qualquer consideração por mim."
- "Você não quer se formar."

- "Ou você não liga para o peso ou não tem força de vontade suficiente."

Uma variação desse tipo de agressão disfarçada, que usa uma acusação impessoal, é ligeiramente mais sutil mas tem o mesmo efeito:

- "Pais que se preocupam com seus filhos não pensam duas vezes sobre comprar um computador..."
- "Quando se ama alguém, não se usa esse tom de voz..."
- "Um estudante que quer se formar não falta em todas as segundas aulas..."
- "Uma pessoa que realmente quer perder peso não se enche de doces..."

Tipo B: "Até mesmo... deveria..."

- Bom esquiador para um principiante: "Até mesmo um principiante deveria ser capaz de descer essa montanha..."
- Paciente para uma enfermeira: "Até mesmo uma enfermeira deveria perceber quando alguém está sofrendo..."

Finalmente, dois comentários que representam um golpe baixo, mas que, infelizmente, maridos e crianças são peritos em usar:

- Criança para a mãe: "Mãe, até mesmo você deveria ser capaz de compreender que eu preciso de algumas roupas novas de verão..."
- Marido para a esposa: "Até mesmo você deveria ser capaz de aprender a dirigir um carro corretamente..."

Esse tipo de acusação disfarçada é mais letal que a primeira. Implica muito mais do que aparenta e, de fato, representa uma série de ataques, um em cima do outro. Então, decodificamos as mensagens que encontramos:

- "Esquiadores iniciantes não são muito espertos. Se você não pode descer essa montanha, é porque você é totalmente inapto."
- "Você não tem de ser inteligente para ser uma enfermeira, mas, no mínimo, menos inteligente que as demais."

O atacante é perfeitamente consciente do que está fazendo. A intenção é prejudicar, fazer com que a pessoa reaja de uma forma negativa, mostrar sua própria superioridade e colocar o outro em uma situação de não-vencedor. Esse é o momento para lembrar-se das três regras de ouro para se defender contra ataques:

- Não responda à agressividade com agressividade.
- Pense e respire profundamente.
- Tire o agressor do sério não se alterando.

A única forma de dominar a arma das palavras é praticar sua defesa em jogos de ganha-e-perde. (Veja Apêndice 4 para respostas sugeridas.)

Exemplo de resposta para o tipo A: "Se você realmente..."

Criança para os pais: "Se vocês realmente querem que eu vá bem na escola..."

Pai: "Um minuto. Quando você começou a achar que eu não quero que você vá bem na escola?"

Comentário: Perceba a frase exata que a criança disse e veja que a segunda parte foi ignorada pelo pai.

Criança: "Porque você não quer me comprar um computador! Todos meus amigos têm um..."

Comentário: A criança é forçada a abrir o jogo e admitir que quer um computador porque todas as outras crianças têm.

Pai: "Você pode me explicar como um computador poderia ajudar você a ir melhor na escola? Por exemplo, como você usará um computador durante as provas?"

Comentário: Mais uma vez o pai leva o que a criança diz completamente a sério e pressiona a criança a fornecer mais explicações. A criança não pode mais reclamar que o pai não se importa. Dessa forma, a chantagem disfarçada foi neutralizada.

Exercício: Sua vez

Cônjuge A para cônjuge B: "Se você realmente me amasse, não falaria comigo desse jeito..."

Resposta do cônjuge B:

Cônjuge A:

Cônjuge B:

Professora para aluno: "Se você realmente quisesse se formar, não deveria ..."
Aluno:

Professora:

Médico para o paciente: "Se você realmente quer perder peso..."
Paciente:

Médico:

Paciente:

Exemplo de resposta para o tipo B: "Até mesmo... deveria..."

Esquiador perito para principiante: "Até mesmo você deveria ser capaz de..."
Principiante: "Oh, isso faz com que eu me sinta melhor! Você quer dizer que mesmo alguém inapto como eu é capaz de descer aqui?"
Comentário: O principiante parece, à primeira vista, estar calmamente repetindo o que o perito disse. Então, ele mostra estar totalmente consciente do tom condescendente usado pelo perito.
Perito: "Não, não. Não foi isso que eu quis dizer..."
Comentário: O perito poderia ter tentado sair-se dessa situação dizendo algo como: "Não, você me entendeu mal. Tudo o que eu estava tentando dizer é que essa é uma montanha muito fácil." Mas a surpresa fez efeito e ele, por um momento, ficou sem palavras.

Ou:

Principiante: "Está certo, várias pessoas são assim. Uma vez que chegaram a um bom nível em alguma coisa, passam a achar que qualquer um que não possa fazer o mesmo é um estúpido. Mas eu não esperava esse tipo de comentário vindo de você."

Comentário: Uma das melhores maneiras de responder a esse tipo de acusação é mudar a situação para um nível impessoal.

Exercício: Sua vez

Paciente para a enfermeira: "Até mesmo uma enfermeira deveria compreender quando alguém está sofrendo..."
Enfermeira:

Paciente:

Enfermeira:

Criança para a mãe: "Mãe, até mesmo você deveria perceber que eu preciso de roupas novas de verão..."
Mãe:

Criança:

Mãe:

Marido para a esposa: "Até mesmo você, minha querida, deveria ser capaz de aprender a dirigir corretamente..."
Esposa:

Marido:

Esposa:

Apelando para as emoções

À primeira vista, esse tipo de ataque verbal não é tão prejudicial como uma acusação disfarçada. Apesar de tudo, é embaraçoso e frequentemente exasperante, às vezes o suficiente para fazer você responder com agressividade. Em geral, ataques emocionais provêm de pessoas próximas a você e que conhecem seus pontos fracos. Se você quer manter a relação, não contra-ataque! Simplesmente defenda-se. Mais uma vez, as mesmas regras se aplicam:

- Não responda à agressividade com agressividade.
- Espere um pouco para pensar e respirar profundamente.
- Tire o agressor do sério não se alterando.

Você pode facilmente reconhecer um apelo emocional porque esse tipo de ataque sempre começa da mesma forma. Aqui temos algumas ilustrações:

- Adolescente para mãe: "Por que você nunca tenta ser boa comigo?"
- Marido para esposa: "Por que você sempre tenta fazer-me parecer um idiota?"
- Pai para filho: "Você poderia me agradar alguma vez?"

As frases "Por que... nunca" e "Você poderia... alguma vez" simplesmente significam "Você nunca..." e constituem uma repreensão, acusação e apelo por piedade. Já que esse tipo de ataque é comum em relacionamentos próximos, isso pode rapidamente se transformar em um "pingue-pongue" verbal.

Aqui estão ilustrações de respostas corretas para esses três exemplos:

Adolescente para mãe: "Por que você nunca tenta ser boa comigo?"
Resposta da mãe: "Bem, agora, o que eu poderia fazer que você acha que seria ser boa para com você? Vamos nos sentar e eu vou fazer uma boa xícara de chocolate. Poderíamos ter uma conversa de verdade. Você gostaria?"
Comentário: A mãe neutralizou a situação de duas formas: primeiro, fazendo exatamente o que o filho queria que ela fizesse (ser boa), ela deu-lhe a atenção que ele estava cobrando. Segundo, o que a mãe sugeriu (chocolate e conversa) não deverá agradar muito ao filho.

Filho: "O que é isso! Essa é uma ideia estúpida..."

Mãe: "Está bem, então não falemos mais sobre isso. Foi apenas uma ideia. Se você não gostou podemos achar outra coisa para fazer..."
Comentário: A mãe se saiu com louvor: ela não tropeçou nem apresentou resistência. Demonstrou suas boas intenções e, ao mesmo tempo, atingiu sua meta. Ninguém saiu ferido e o problema foi resolvido pacificamente.

Exercício: Sua vez

Marido para esposa: "Por que você sempre tenta me fazer parecer uma idiota?"
Esposa:

Marido:

Esposa:

Pai para filho: "Por que você nunca tenta me agradar?"
Filho:

Pai:

Filho:

Conclusões

Como já vimos, a maioria dos ataques verbais são provocações que também contêm implicações negativas. Conscientemente ou não, o atacante espera que você reaja de uma certa maneira e o que salva a situação é o elemento surpresa. Você poderá criar uma situação de ganha-e-ganha se puder agir de uma maneira que não se encaixe no padrão e para a qual o atacante não tenha tido tempo de elaborar uma resposta.

É impossível prever todas as situações que podem se tornar objeto de ataques verbais disfarçados – o exemplo nesse capítulo representa a variação mais comum. (O Apêndice 4, no fim do livro, oferece mais sugestões de como responder aos exemplos dados aqui.) Com um pouco de prática, você será capaz de reconhecer os ataques disfarçados assim que acontecerem; até mesmo se aparecerem de uma forma não usual. Qualquer que seja a forma que o ataque se apresentar e qualquer que seja a sua resposta, você deve se manter no controle se quiser conseguir pegar o agressor de surpresa.

Capítulo 8

Desenvolvendo a Força Interior

Nós encontramos pessoas que são fontes de conforto, inspiração e desejo; há também quem provoque desentendimentos, raiva e desmotivação – os chamados tipos difíceis. Por meio desse livro, sugerimos formas de ajudar você a abrir uma linha de comunicação com essas pessoas, que ficam atrás de suas conchas de silêncio ou de suas farpas maliciosas. Para fazer isso, você precisará se proteger contra ferimentos que podem ser-lhe infligidos e desenvolver a sua força interior.

Reconhecendo os níveis de agressão

Quando alguém usa a linguagem contra você, qual parte sua é ferida?

Por que dói quando alguém se opõe a você com um obstinado silêncio ou parece enxergar através de você? Quando você é insultado, por que sofre?

Responder a essas questões irá habilitá-lo a reconhecer os sinais de ataques verbais e a distinguir entre os diferentes níveis de agressão.

Agressão física

Há um enorme número de elementos que formam partes de nossa comunicação física, incluindo imagens, sons e impressões táteis. Quando vemos pessoas difíceis em ação, podemos nos impressionar pelos gestos exagerados ou nos intimidar com a altura de seus gritos ou, até mesmo, nos ferir se nos atacarem fisicamente.

Se você é sensível ao som, um par de tampões de ouvido permitirá que continue bem, não importando a altura da interrupção. Também é possível aprender a se manter impassível enquanto alguém, na sua frente, o insulta. No que diz respeito a imagens, se você tiver a sorte de ser míope, tire os óculos! E se você tiver uma visão 20 X 20, olhe para qualquer outra coisa, mas não para as mãos, o que pode ser um tanto assustador. Se isso não funcionar, você pode recorrer ao humor, o que estaremos vendo no último capítulo.

Então, há a agressão física propriamente. Lembre-se sempre de que para haver uma briga são necessárias duas pessoas; é pouco provável que alguém o agrida fisicamente se você não fizer nada para provocar isso. Simplesmente mantendo-se firme e impassível diante da agressão e você não incentivar a pessoa a atacá-lo e, ao menos, ela ficará perturbada. No entanto, certifique-se de manter a suficiente distância física entre você e o agressor em potencial, assim não será pego de surpresa.

Toda agressão é acompanhada de uma descarga de energia negativa que você pode sentir na boca do seu estômago. Um comentário ofensivo ou uma ameaça não machuca seu cérebro ou seu coração – você sente diretamente no intestino. Deve ser por isso que cruzamos nossos braços quando nos sentimos ameaçados: nossos braços formam uma barreira física entre a fonte de agressão e nosso centro, que é sensível a esse tipo de energia. O mesmo tipo de proteção é obtido segurando-se um objeto em frente ao nosso estômago.

Agressão intelectual

Você pode se tornar objeto de ataques intelectuais em seus encontros com pessoas difíceis. Elas podem ridicularizar suas ideias ou discutir com você de uma maneira muito inteligente para repreendê-lo ou podem ser capazes de achar o ponto ou a exceção que fazem você estar errado; alguns são peritos na franqueza, enquanto outros em distorcer suas palavras.

Se você está preocupado em não atingir um certo nível intelectual, então não se envolva em discussões que irão deixá-lo vulnerável e exposto ao ataque. Deixe o outro mostrar sua erudição, e ouça –ou ao menos dê a impressão de estar ouvindo – atentamente o que diz. Quando ele tiver terminado, tudo o que você tem a dizer é algo como: "Bem, vendo pelo seu ponto de vista, evidentemente, você está correto...", caso você tenha um ponto de vista diferente. Então, continue com o que quer que você estivesse falando antes do ataque, como se nada tivesse acontecido. Ou você pode dizer que não entendeu o argumento, o que põe o agressor em uma posição difícil por ter de explicar seu ponto de vista novamente – sem a garantia de que desta vez será compreendido! – ou de apenas deixar isso passar. Pessoas que praticam esse tipo de agressão acham muito perturbador precisar repetir o que já disseram porque, na segunda vez, saem-se muito pior.

Agressão física e mental

Nós somos muito mais vulneráveis emocionalmente; frequentemente, nos sentimos esgotados em nossa energia após um encontro com uma pessoa difícil. Uma condição essencial para o sucesso das técnicas que sugerimos é a habilidade em manter a calma durante um ataque. Entretanto, é muito difícil neutralizar uma emoção negativa com outra, funcionando de antídoto. Emoções afetam todo o nosso organismo e provocam reações neuroquímicas que levam tempo para se completar. É por isso que é necessário praticar exercícios mentais e técnicas que possam ajudar a controlar suas emoções.

Para se preparar contra os efeitos devastadores da emoção, você pode recorrer a "escudos" e a exercícios planejados para desenvolver sua força interior. Nós viemos nos protegendo contra sofrimentos emocionais desde a infância. Isso significa que, quando adultos, muitos de nós aprendemos a reprimir totalmente nossas reações emocionais a ponto de parecer que nada nos afeta – não podemos mais ser feridos emocionalmente. O problema é que nos anestesiamos também contra todos os aspectos positivos da emoção humana, como amor e afeto.

Outras pessoas parecem momentaneamente transtornadas quando submetidas a um ataque emocional, mas, rapidamente, retomam a compostura. Esta é a melhor forma de se comportar quando estiver lidando com pessoas difíceis: nem muito insensível nem muito vulnerável. O conselho deste capítulo é reforçar essa declaração.

Algumas pessoas são extremamente sensíveis; explosões emocionais deixam cicatrizes que demoram a ser curadas. Até mesmo o pensamento de enfrentar uma pessoa difícil as deixa ansiosas, mas, de alguma forma, encontram coragem para isso. Este capítulo foi feito especialmente para essas pessoas.

(A intenção deste capítulo não é ajudar pessoas emocionalmente privadas ou machucadas, que deveriam, antes, procurar ajuda e tentar estabelecer um certo equilíbrio em suas vidas emocionais.)

Por que nós sofremos?

Quando uma pessoa sensível é objeto de um ataque emocional, o que a faz sofrer? Pessoas sofrem porque sua autoimagem ou autoestima é ameaçada.

Desde a infância nós construímos nossa personalidade em volta de um núcleo central, que é a imagem que temos de nós mesmos. Quanto mais sólida e positiva for essa imagem, menos propícios seremos a ter problemas emocionais. Quanto mais autoestima tivermos, mais difícil será acreditarmos que os outros não tenham uma grande estima por nós também e, portanto, será mais difícil sofrer. Se nossa autoimagem for defeituosa ou frágil, seremos muito mais vulneráveis ao ataque.

Um profundo programa de reafirmação de autoimagem e autoestima está fora do alcance desse livro, o que seria difícil de se fazer sozinho, sem uma ajuda profissional. No entanto, podemos ajudá-lo a manter sua autoimagem e a se proteger com uma série de escudos.

Talvez você tenha consciência de que há certas situações, mensagens verbais ou até mesmo palavras isoladas que o pegam toda vez e sempre da mesma forma. Nós já vimos como a linguagem pode ser poderosa. Agora, levaremos nossa análise um passo à frente para incluir todo tipo de incentivos, até mesmo aqueles que não são verbais e que têm como resposta um sofrimento automático.

Gestos e frases mortais

Você já trabalhou duro em alguma coisa e sentiu que seus esforços não foram compreendidos ou apreciados? Você já quis mostrar algo que criou para alguém e não o fez por medo de ser rejeitado ou ridicularizado? Todos nós temos sentimentos, pensamentos e ideias que foram difamados e rejeitados pelos comentários, gestos e atitudes zombeteiras dos outros. Todos nós já fomos feitos de estúpidos, ridículos ou desajeitados por nossos pais, colegas de escola, superiores, colegas – e especialmente pelas pessoas difíceis que encontramos.

O que todas as frases mortais têm em comum é que elas atacam nossa autoestima, às vezes seriamente. Quando nos expomos, revelando algum tesouro escondido, nem sempre estamos certos de seu valor. "A música ou o poema que escrevi está bom o suficiente? Eu deveria ousar mostrar para alguém ou devo mantê-lo comigo, pois caso a pessoa não goste poderá fazer algum comentário que faça com que eu me sinta totalmente sem valor?" Algumas das frases mortais mais frequentes são: "Eu não tenho tempo agora..."; "É uma ideia estúpida... você sabe que é impossível!"; e "Você está falando sério? Você nunca fará isso! Isso já foi feito. Você tem uma mente infantil..." e por aí em diante.

Pessoas diferentes são sensíveis a palavras e gestos diferentes. O que pode destruir totalmente o seu vizinho pode deixá-lo normal. O que o machuca pode atingir somente você e mais ninguém, e isso é devido à associação de palavras e emoções: algumas palavras provocam uma imediata sensação de prazer, enquanto outras fazem-nos sentir profundamente mau, sem sabermos por que.

Pense nos insultos e outras frases que o incomodam muito. Elas podem ter algo a ver com ser preguiçoso, avarento, fraco, efeminado, ultrapassado, irracional, etc. Quando você descobre uma palavra ou frase que te machuca sem dúvida, as associará a uma voz, a uma imagem ou a um sentimento do seu passado. Essas palavras e gestos foram gravados em seu arquivo por primitivas experiências negativas e é por isso que você reage a elas de forma tão intensa. Por exemplo, digamos que fica roxo de raiva toda vez que alguém insinua que você falhou. A palavra "falha" é como um interruptor de luz: alguém a pronuncia e você perde as estribeiras. O que aconteceu com sua vontade própria?

> "Ela bateu a porta; eu fiquei deprimido.
> Ela disse: "é isso?" e eu murchei. Ela disse:
> "você continua cansado?" e eu enraiveci..."

Essa pessoa está andando por aí com uma máquina de escrever presa ao peito – você aperta uma determinada tecla e obtém a reação desejada, sempre. Todos nós somos robôs ou máquinas programados desde a infância para reagir de uma forma específica? Em parte, sim. A repetição de um certo comportamento grava experiências positivas e negativas em nossas mentes e nos faz reagir automaticamente a dadas circunstâncias. Algumas pessoas são tão controladas por essas reações habituais que parecem marionetes – tudo o que você tem a fazer é dar a corda.

Parando as reações automáticas

Felizmente, nós temos o poder de mudar ou eliminar nossos hábitos. A maioria das pessoas fica entre a marionete e o espírito liberado. Funcionamos automaticamente parte do tempo e, gradualmente, vamos ganhando mais controle sobre nós mesmos à medida que progredimos em nossos esforços para o autodesenvolvimento.

Dessensibilizando-se

As chaves que nos controlam fazem-no sem que o saibamos. Por exemplo, minha esposa poderia bater a porta quando saísse do apartamento depois de uma briga sem importância. Inevitavelmente, eu sentiria como se ela me tivesse dado um tapa na cara e dramatizaria o evento ao extremo. Finalmente, percebi que essa chave era muito prejudicial, já que me incentivava a continuar na disputa quando o que eu realmente queria era acalmar as coisas. No entanto, tirando o fato de eu ter me conscientizado de minha reação automática, a cada vez que minha esposa batia a porta, eu caía na armadilha. Quando percebia que, mais uma vez, eu tinha reagido automaticamente, já tarde demais – o mal já tinha sido feito. Isso continuou até eu ter a brilhante ideia de pedir a minha esposa para repetir o gesto até ser capaz de neutralizar minha reação automática. Depois de alguns minutos, já era capaz de manter-me totalmente impassível quando minha esposa batia a porta ao fechá-la e, desde então, isso não me incomoda.

Você também pode aplicar essa técnica a frases mortais. Faça uma lista com todas as coisas que odeia ouvir e peça a alguém de confiança que a leia para você. Observe como uma palavra ou frase, uma vez que atinge seu cérebro, desencadeia uma série de reações emocionais negativas e involuntárias em você. Peça à pessoa que repita a palavra ou frase até você ser capaz de ouvi-la calmamente, sem nenhuma reação negativa. Quando isso ocorrer, estará livre dessa fonte de sofrimento automático em particular.

Exercício: Reprogramando-se

Outra forma de lidar com o problema da reação negativa automática é fazer a mesma mudança desencadear uma resposta diferente e mais positiva; em outras palavras, colocar uma resposta automática no lugar de outra. Aqui está como:

- Faça uma lista das situações que você sabe que provocam uma reação negativa e que o prejudicam bem como ao seu ambiente e às pessoas ao seu redor. Inclua tudo o que você deixa com raiva ou medo, ou que quer esconder de si mesmo.
- Quando a lista estiver pronta, estude cada provocação e pergunte a si mesmo quais as desvantagens que obtém com suas reações. Seria mais vantajoso continuar reagindo automaticamente ou mudar?
- Agora, pergunte qual reação você gostaria de ter no lugar dessa. Escreva todas as alternativas.
- Visualize cada situação em sua mente e repita sua resposta positiva, usando sempre o tempo presente, quantas vezes for preciso para que passe a repeti-la automaticamente.

(Há um complemento útil para essa técnica na seção de autoafirmação, um pouco mais adiante.)

Escudos mental e emocional

Tornamo-nos o que pensamos

Concentre-se na dor e você se tornará aquela dor. Concentre-se na luz e se tornará luminoso. Repita para si mesmo: "Isso é impossível..." e o que quer que seja se tornará impossível; mas diga para si mesmo: "Eu posso fazer isso..." e suas chances de sucesso irão se duplicar. Posso até ouvir os céticos, que estão pensando: "Oh, essa é apenas mais uma dessas ideias de pensamento positivo... Como se tudo que tivéssemos de fazer para nos tornarmos milionários fosse pensar como um!" Se você é uma dessas pessoas, provavelmente, é porque tem uma forte convicção "Não vai funcionar... não vai funcionar" então, obviamente, não vai funcionar!

Psicólogos conhecem bem um fenômeno que descrevem como "ciclo de autoafirmação". Isso significa que tendemos a influenciar os eventos de acordo com as nossas convicções. Por exemplo, peguemos um idoso que se sinta incapaz de utilizar um video-cassete, acreditando que, "isso é muito complicado para mim..." ou "eu não posso começar a aprender essas coisas na minha idade..." e, digamos, que a pessoa ganhe um vídeo de presente. Você pode imaginar o que aconteceria: apesar de todas as instruções e ajuda oferecidas e de o manual ser claramente escrito, ele parece não conseguir pegar os princípios de como usar isso para si próprio... Finalmente ele diz: "Viu, eu disse!"

As pessoas têm uma incrível capacidade de concretizar suas próprias profecias – especialmente quando elas são positivas. Nesses casos, a força das pessoas flutua pelo desejo. Não há nada de mágico nisso. Dizer "Eu sou saudável..." não basta para curar um câncer, mas pensar isso pode ajudar consideravelmente.

Carregamos dentro de nós todos os tipos de afirmações para todos os tipos de assuntos. Algumas dessas afirmações podem ser chamadas de convicções, enquanto outras são preconceitos, opiniões ou julgamentos. O que quer que seja, foi concebido inconscientemente. Algumas dessas afirmações têm um efeito prejudicial em nossa capacidade de nos comunicarmos com os outros e de tirar o que queremos da vida. Outras, têm um efeito benéfico. É muito útil saber que você pode criar novas afirmações que irão ajudá-lo a manter uma atitude positiva em relação às metas e objetivos que você estabeleceu para si mesmo na vida. Para fazer isso, apenas siga as seguintes regras, fazendo delas ferramentas poderosas e efetivas, o que garantirá sua eficácia.

Criando afirmações efetivas

As regras já foram explicadas tantas vezes que presumimos que a maioria das pessoas já as conheça. Apesar disso, vamos repeti-las.

Usemos o exemplo de uma afirmação que é um excelente escudo emocional: "Não importa o que digam ou façam comigo, eu sou um ser humano de valor."

Pessoa. Usar "Eu", afirma que você se identifica com a afirmação. Dizer "Eu sou uma pessoa de valor..." faz disso um fato verdadeiro para você, o que não seria o caso se você dissesse algo como "Você tem de ter coragem para..."

Presente. Mesmo uma afirmação referente a um evento futuro deve ser formulada no tempo presente. Por exemplo, se você quiser manter-se calmo da próxima vez que encontrar uma pessoa difícil, não formule a afirmação assim: "Da próxima vez ficarei calmo..." porque, quando a situação chegar, você pensará: "Da próxima vez eu ficarei calmo..." (não desta vez!). Afirmações influenciam nosso inconsciente, no qual existe apenas o presente. Para funcionar quando e onde você precisar, elas têm de ser concebidas e gravadas em sua mente como sendo válidas no momento presente. Por exemplo, "Eu estou calmo..." ou "Eu enfrento a situação corajosamente..."

Positivo. Outra característica de nosso inconsciente é a dificuldade que ele tem em diferenciar uma coisa da sua negação. Por exemplo, se eu mencionar a palavra "cachorro", a imagem do animal vem imediatamente à sua mente. Mas se eu pedir-lhe para não pensar em cachorros, qual a primeira coisa que lhe vem à cabeça? Um cachorro! Portanto, se sua meta é não se intimidar na próxima vez que encontrar uma pessoa agressiva, não formule sua afirmação dizendo: "Eu não estou receoso..." porque instilará a ideia de receio em sua mente. Em vez disso, diga algo como: "Eu sou corajoso...". Concentre-se no que quer obter, não no que quer evitar.

Categórico. Suas afirmações não devem deixar espaço para dúvidas, então evite declarações comparativas ou condicionais. Por exemplo, se você disser: "O que quer que aconteça, eu serei a pessoa mais calma por perto...", o que acontecerá se alguém for mais calmo que você? Ou se você disser: "Se for necessário, serei calmo..." como você poderá estabelecer um reação automática para ficar calmo e um processo de avaliação entre a necessidade de ficar calmo ou não? Seu inconsciente não será capaz de lidar com isso. Em vez disso, diga algo como: "Manterei a calma, aconteça o que acontecer."

Concretização. Indique a declaração que você quer atingir, não faça uma progressão gradual sobre essa declaração. Se você disser: "Eu sou autoconfiante...", estará evocando um sentimento que poderá ser facilmente relacionado a eventos de seu passado, no qual se sentiu confiante. No entanto, se você disser: "Pouco a pouco eu vou ganhando autoconfiança..." então, sua afirmação perderá o poder porque seu inconsciente não poderá medir a qualificação "Aos poucos". E mais, não é apenas porque você faz uma progressão sobre a obtenção de uma meta que, necessariamente, vai atingi-la. Então, na realidade, você não está oferecendo a si mesmo nenhum apoio real, mas simplesmente uma promessa de apoio em algum lugar do futuro.

Emoção positiva. Sua afirmação se fortalecerá se for carregada com emoção positiva. Dizer: "Eu tenho autoconfiança..." é bom; isso ocupa sua mente com um pensamento bom. Mas dizer: " Eu sou autoconfiante e amo estar com pessoas..." é muito melhor, pois está carregado de emoção.

Outras recomendações. Afirmações estão ligadas a objetivos. Por exemplo, digamos que você queira adquirir mais autoconfiança, ficar calmo diante de uma agressão e preservar sua autoestima, apesar dos ataques aos quais possa estar sujeito. Todos esses objetivos psicológicos são reais e não há nada que possa te impedir de consegui-los.

Quatro palavras a serem evitadas

Tome cuidado para não ser muito perfeccionista quando formular seus objetivos. Dizer "eu sou sempre calmo e benevolente..." não é real – você está fadado a não atingir suas próprias expectativas, o que irá apenas embaciar a credibilidade de suas afirmações. Você tem de ser realista e projetar uma declaração que seja razoavelmente possível de se conquistar. Evite palavras como "sempre", "nunca", "perfeitamente", "totalmente" e assim por diante.

Também tome cuidado para incluir apenas você mesmo em suas afirmações. Dizer: "Eu mantenho a calma e faço os outros rirem..." irá afetar apenas você e a mais ninguém. Pensar fortemente "Eu quero que ele/ela me ame..." não irá fazer ninguém se apaixonar por você! Você pode até mesmo provocar uma reação oposta. Isso seguiria a regra do fluxo contrário, que declara que quanto mais perseguimos uma coisa mais ela parece nos escapar; inversamente, assim que paramos de persegui-la ela começa a nos perseguir!

Pondo suas afirmações em uso

É preciso mais do que apenas escrever uma afirmação para fazê-la trabalhar a seu favor. Como sabemos, já somos programados com todos os tipos de afirmações que foram gravadas em nossa mente com o passar do tempo. Para inscrever afirmações novas e que deem apoio, temos de repetir e reforçar muitas e muitas vezes. Há uma variedade de técnicas para se fazer isso:

- Pendure suas afirmações em um lugar bem visível. Dessa forma, você olhará para a mensagem e a registrará frequentemente. Não escreva mais de uma afirmação por vez – isso apenas cancelará qualquer efeito positivo; trabalhe seus objetivos um por um. Quando perceber que não está mais prestando atenção na mensagem, mude-a.
- Repita a afirmação, em voz baixa, várias vezes antes de dormir e, novamente, ao acordar.
- Se você sabe praticar visualização, pode usar a técnica de se imaginar vivendo sua afirmação. Repita a visualização o mais frequentemente possível até que ela torne parte integrante de seus pensamentos (veja Apêndice 3 e 5).
- Repita a afirmação 1.000 vezes alto e sem parar. Isso tem um efeito muito forte. Além de gravar a mensagem em sua mente, você se aproximará de um estado de transe cujos efeitos totais serão discutidos mais adiante.

Afirmações como escudos emocionais

Afirmações agem por si só: uma vez implantadas em nosso inconsciente, elas, automaticamente, produzem o efeito desejado. Entretanto, você também pode usar afirmações sempre que estiver sob pressão intensa em uma determinada situação. Por exemplo: se sofreu um tipo de agressão verbal especialmente corrosiva, poderá proteger sua autoimagem repetindo a mensagem: "Não importa o que digam ou façam para mim, eu sou um ser humano de valor..." – Esse é um escudo emocional. Você se agarra a uma emoção positiva que está firmemente ancorada em sua mente sempre que emoções negativas (medo, raiva, vergonha, etc.) ameaçarem surgir.

Não podemos experimentar duas emoções opostas ao mesmo tempo nem pensar conscientemente em duas coisas simultaneamente. Então, você não pode estar feliz e triste ao mesmo tempo. Esse fenômeno explica como pode se proteger contra emoções negativas durante seus encontros com pessoas difíceis. Você pode neutralizar seus pensamentos ou sentimentos negativos simplesmente pensando em alguma outra coisa. Se tiver sucesso em construir uma defesa sólida de pensamentos e sentimentos positivos capazes de resistir ao incômodo de pensamentos e sentimentos negativos, você se tornará forte e sereno – um mestre de si mesmo.

O poder do paradoxo

Você está tendo problemas com seu superior imediato. Ele o chama em seu escritório e você sabe que, mais uma vez, estará indo para um sermão sobre os supostos erros que cometeu e que discutirá com ele na tentativa de defender-se. No passado, seu superior sempre fora capaz de desequilibrá-lo, até que você perdeu a paciência e fez o maior escândalo; mas desta vez você determinou-se a seguir o conselho oferecido por este livro e continuará impassível, não importa o que aconteça. Entretanto, você sabe que irá machucar-se com o que o seu superior disser e adoraria encontrar uma forma de evitar ferimentos. O que fazer?

Uma possibilidade é, antes e durante o encontro, repetir para si mesmo uma frase como: "Não importa o que digam ou façam, eu sou um ser humano de valor...". Essa é uma medida eficaz, porque com essa ideia presa à sua mente você poderá manter-se neutro diante de críticas e ataques. Mas essa é uma posição puramente defensiva; deve haver uma forma mais eficaz de lidar com a situação.

Você chega à reunião na hora, mas seu superior o faz esperar no *hall* por trinta minutos sem dar qualquer explicação pelo atraso. Você sabe que ele está apenas tentando exercer sua autoridade e preparando-o para o que está por vir. Finalmente, ele manda você entrar e sentar-se em uma cadeira baixa, dura e de costas estreitas, o que o coloca em uma posição visivelmente inferior se comparada à mesa imponente e à cadeira almofadada e com braços que ele ocupa. Ele te fulmina com um olhar intimidante e, então, começa seu ataque, presumindo que você é psicologicamente vulnerável.

Todas as manobras descritas acima têm como objetivo atacar sua autoestima. A pessoa, provavelmente, o vê como uma ameaça e precisa reduzi-lo a um estado de submissão. Ter uma atitude desrespeitosa ou ficar enraivecido seria um erro de sua parte, já que é exatamente isso o que a pessoa espera de você. Ela sabe perfeitamente bem como explorar sua raiva para conseguir destruí-lo. Você acha que o seu superior é um homem insignificante e medíocre, mas na posição em que se encontra ele tem poder você e sobre sua carreira. Você está fumegando, pensando em que armadilha ele está tentando preparar para você. Está tentado a descer ao nível dele e responder no mesmo estilo. Mas você sabe que isso apenas o deixaria feliz – não há nada que ele fosse gostar mais do que ver você perdendo o controle, ficando com raiva e saindo da reunião derrotado e deprimido.

Felizmente, há uma forma infalível de responder a esse tipo de antagonismo. Formule uma espécie de bênção em sua mente, algo como: "Deus deve te abençoar..." não importa se você não tiver a mínima crença em Deus e também se não tiver a menor vontade de abençoar a pessoa em questão. O pensamento, por si só, tem o poder de trabalhar por conta própria. Repita essa sentença na sua cabeça e, ao mesmo tempo, tente evocar sentimentos de ódio em relação a alguém. É impossível. Lembre-se: você não pode sentir ou pensar em duas coisas que se opõem ao mesmo tempo. Então, você não pode abençoar e odiar alguém simultaneamente.

Repetir essa fórmula, ou uma similar, mudará sua aparência externa. Você irá parar de sentir-se rancoroso ou nervoso e, embora deva estar sendo vítima de todos os tipos de abusos, acabará por manter-se impassível e sereno, fora do alcance da agressão mesquinha. E isso servirá para irritar muito a outra pessoa!

O poder dos encantamentos

Você já deve ter visto na televisão imagens de jovens soldados se atirando destemidamente na linha de fogo, entoando o nome de Deus. Eles parecem estar em transe e nada pode detê-los. As palavras usadas nesses encantamentos, frequentemente de louvor a alguma divindade, são repetidas infindavelmente, a ponto de não sobrar espaço para dúvidas ou, até mesmo, para a consciência da própria identidade de alguém. Esse poder não é propriedade exclusiva da religião. Se você aprender a fazer uso consciente da técnica dos encantamentos, poderá proteger-se sempre que estiver diante de uma agressão verbal ou mental. Os encantamentos podem ser uma afirmação que você repetiu para si mesmo uma centena de vezes e que, assim, se tornou disponível sempre que dela precisar. Pode ser uma série de sílabas ou sons, como os mantras ensinados pelos mestres espirituais.

O poder da desassociação

A psicologia moderna tomou o lugar da religião no que diz respeito às técnicas de apoio ao desenvolvimento da nossa força interior. Isso propõe que, para cada situação difícil, ou nos colocamos na situação e, portanto, experimentamos as emoções que ela provoca, associando-nos com essas emoções, ou na posição de observador e, assim, desassociamo-nos da experiência. Quanto mais uma pessoa se envolver em uma situação, mais associada estará e mais fortemente sentirá as emoções. O problema é precisamente este: o envolver-se emocionalmente demais na situação – associado demais – e, portanto, tornar-se incapaz de ter uma ação positiva e significativa. O objetivo é aprender a manter distância.

Para ilustrar essa técnica, usaremos o exemplo do chefe desagradável descrito acima. Você está sentado no escritório dele, em uma cadeira que simboliza a sua posição inferior. Como pode manter-se desassociado? A chave está na sua habilidade em visualizar e usar a sua imaginação. A coisa mais importante é ser capaz de brincar com a percepção da pessoa que está te encarando. Distância é importante: se você está a uns poucos passos, tente afastar um pouco a sua cadeira. Agora, imagine que está olhando a pessoa pelo lado contrário do binóculo – ela parece bem pequena; de fato, minúscula, embora vocês estejam na mesma sala.

Problemas nos esmagam quando achamos que eles são maiores do que realmente são. Imaginar que os problemas são menores que nós simplesmente pede que nos imaginemos maiores que eles. Se a pessoa com quem você estiver falando for seu problema imediato, então imagine que você é Gulliver e ele, um habitante de Lilliput. O seu corpo é imenso, enquanto o dele é bem pequenininho. Esse simples pensamento isolado fará muito para neutralizar o poder dessa pessoa sobre você.

Outra técnica é trocar de lugar. Colocar-se no lugar de outra pessoa significa compreender o que se passa pela sua cabeça. Isso não significa que você se torna a outra pessoa ou que concorda com ela. Trocar de lugar significa adotar, temporariamente, o ponto de vista da outra pessoa e tentar ver, ouvir e pensar como ela faria. Colocando-se no lugar de alguém você poderá descobrir o que realmente precisa ser satisfeito no seu relacionamento com essa pessoa. Outras pessoas têm o mesmo problema que você: suas pretensões ultrapassam suas ações. Se você conscientizar a outra pessoa disso, ela terá de dizer algo como: "Eu fui mal compreendida, mal interpretada..." ou "Essa não era minha intenção, fico muito triste..."

Para compreender alguém, você deve saber quais as suas pretensões e qual sistema de valor ou critério forma a base de seu comportamento, especialmente quando esse comportamento for um problema para você. Se puder fazer isso, estará em posição de sugerir alternativas que possam preencher as exigências da pessoa e que sejam, ao mesmo tempo, aceitáveis para você.

Mas se já é duro o suficiente nos conscientizarmos de nossas próprias intenções, não será mais difícil compreender as intenções dos outros? Não, porque é mais fácil observar e entender os outros do que a nós mesmos! Frequentemente, não enxergamos certos aspectos de nossa personalidade que são totalmente óbvios para os outros. Fazer isso exige habilidade para se concentrar em alguém e perceber sinais sutis, tanto quanto para fazer as perguntas certas na hora certa. Dominar essa técnica contribuirá para que grande parte de seus problemas de comunicação desapareça.

Técnicas físicas para controlar as emoções

Cada emoção é caracterizada por um ritmo específico de respiração; então, se você controlar voluntariamente a respiração poderá modificar ou controlar suas emoções. Há muito tempo é sabido que praticar respiração profunda, enchendo de ar as cavidades abdominal e pulmonar, tem um efeito calmante. Esse tipo de respiração é realizada relaxando-se os músculos abdominais e enchendo de ar, primeiro, o estômago e, depois, o peito, em vez de apenas o peito. É assim que respiramos quando estamos calmos ou tranquilos – fazer isso conscientemente nos deixará calmos e tranquilos. Outra forma de reduzir a tensão em situações difíceis é concentrar parte de sua atenção em sensações físicas prazerosas: fique atento à sensação da cadeira ou da mesa ao toque, sinta o contato de seus pés firmemente plantados no chão e outras coisas do gênero.

Finalmente, sabemos que as emoções são ligadas a reações e secreções hormonais, as quais produzem todos os tipos de efeitos físicos – um fenômeno bem conhecido é o medo de palco. Uma excelente maneira de controlar esses efeitos é praticar o relaxamento dinâmico.

Relaxamento dinâmico

O princípio existente por trás do relaxamento dinâmico é o de relaxar por meio dos movimentos; mexer o corpo para livrar-se do acúmulo excessivo de hormônios e, especialmente, de adrenalina. Você pode fazer isso chacoalhando a cabeça, como faz um cachorro quando sai da água, ou bocejando e trabalhando seu maxilar ou, ainda, andando até se acalmar. Você também pode fazer uma automassagem, que funciona assim:

Gire sua cabeça da direita para a esquerda em um movimento circular, alongando o pescoço. Massageie a nuca com as mãos. Alongar o pescoço alonga, também, os músculos de seus ombros, que você pode massagear levando a mão ao ombro oposto e usando o polegar e o indicador. Esses músculos costumam ser doloridos devido às toxinas que acumulamos. Amasse-os dos dois lados, forte o suficiente para causar uma certa dor; depois, massageie-os com as pontas dos dedos – isso deverá fazer com que você se arrepie todo, desde a base de sua espinha dorsal. Agora, erga seus ombros e relaxe, deixando-os cair. Respire fundo e, depois, expire com um grande suspiro.

Fazer esse simples exercício antes de um encontro difícil deverá fazê-lo relaxar o suficiente para poder lidar com a situação mais eficazmente e manter o controle de suas emoções.

Acessando seus recursos

Cada um de nós possui os recursos necessários para superar qualquer problema e tomar o controle das próprias vidas. Não precisamos de ninguém para resolver os problemas por nós – necessitamos de pessoas que nos ajudem a localizar dentro de nós mesmos os recursos necessários para resolver o problema. Um velho provérbio chinês diz: "Dê um peixe a uma pessoa faminta e ela o comerá uma vez; ensine-a a pescar e ela comerá pelo resto de sua vida."

Muitos de nossos medos e limitações foram formados durante a infância. Você, por exemplo, pode ter se impressionado com um adulto autoritário e se sentido minúsculo em comparação a ele; mas, mesmo depois de adulto, você continua sendo influenciado pela autoridade, como se a parte que teve medo naquele momento fosse sempre estar ligada ao passado. Para se libertar desse medo, você precisa conversar com a criança que era, com a criança que continua dentro, e dizer a ela que agora já é um adulto, totalmente crescido, e que ela não tem mais nada a temer.

Por outro lado, nós, às vezes, demonstramos qualidades maravilhosas que parecem perder-se penosamente sob outras circunstâncias. Por exemplo: como é possível alguém ter coragem de escalar uma montanha e, por outro lado, perder o sono só de pensar que precisa telefonar para uma pessoa que tem a fama de ser briguenta? Para onde vai a coragem em algumas situações difíceis?

Experiências têm demonstrado que apenas uma repetição de um evento é suficiente para tornar uma reação permanente: uma vez que você aprendeu a andar de bicicleta, não esquecerá como se faz, mesmo que não encoste em uma por 50 anos. Da mesma forma, se você foi uma pessoa corajosa, dinâmica e equilibrada em uma única situação em sua vida, isso já é suficiente para carregar essas qualidades pela vida afora, até mesmo se não usá-las novamente.

O exercício 2 de visualização no Apêndice 5 ajudará você a convocar seus recursos interiores quando precisar deles.

Capítulo 9

Humor – A Arma Suprema

Um ladrão invadiu uma casa e começou a levar quase tudo o que pôde encontrar. O dono, que estava na rua conversando com amigos, viu o homem indo e vindo com seus pertences. Ele esperou alguns minutos e, então, entrou na casa, cobriu-se com um cobertor e fingiu estar dormindo. ''O que você está fazendo aqui?'', perguntou o ladrão quando voltou para fazer um novo carregamento. ''Bem'', disse o homem, ''estamos mudando, não estamos?''.

Todos nós sabemos como uma risada compartilhada pode iluminar o mais sombrio dos dias. Experimentamos a magia do riso desde a infância, quando nossos pequenos risos e acrobacias pareciam causar muita alegria àqueles ao nosso redor. E prosseguimos tendo muita diversão na adolescência, quando quase qualquer coisa era capaz de provocar uma sessão de risos – isso, sem falar naqueles acessos de incontrolável hilaridade que nos varriam de tempos em tempos e que nada nem ninguém conseguia fazer parar. Às vezes, os adultos, que não nos podiam compreender, acusavam-nos de ser "infantis". No entanto, não foi por muito mais tempo que isso que realmente aprendemos a usar o humor, e a olhar para situações e eventos com imparcial diversão.

A essência do humor

Encontrar humor em situações ou eventos ajuda a tirar o drama da situação e a perceber que ela é tão importante quando você deixá-la ser.

Digamos que você perdeu algo de valor. Se considerar a perda seriamente ela se tornará uma tragédia. A essência do humor reside na natureza irreal das coisas. Um homem vai abrir a porta do carro e a maçaneta cai na sua mão. De tão surpreso, ele fica sem palavras por alguns momentos. Para nós, espectadores, sua reação foi a mais engraçada possível, porque sabemos que a cena é impossível, que foi planejada. É engraçado porque alguém confundiu ilusão com realidade.

Humor x ideias condicionadas

Falamos de humor negro, mas seja negro ou branco, humor sempre desafia ideias aceitas e brinca com as diferenças ou brechas entre a realidade e a forma como ela se manifesta. Algumas pessoas perdem totalmente o senso de humor e isso pode ser devido aos seus esforços conscientes para levar tudo a sério. Você pode achar que levando as coisas a sério conseguirá ser mais importante ou ter mais credibilidade. Ter senso de humor significa ser capaz de sair de si e olhar-se objetivamente e, consequentemente, não se levar tão a sério, ou seja, é ter a capacidade de rir-se de si mesmo. Isso também permite que você lide com assuntos sérios sem se identificar com eles, mantendo uma certa distância ou espaço entre o assunto e você e tornando-o, dessa forma, muito mais fácil de ser tratado por todos os envolvidos.

Geralmente, o humor provoca um sorriso no lugar de uma franca gargalhada. Raramente experimentamos o puro prazer da gargalhada, porque gargalhar frequentemente é, em parte, cruel, pois somos forçados a largar algumas ilusões que se mantêm guardadas há muito tempo. Entretanto, o humor é uma imensa força de liberação. No momento em que uma ilusão dolorosa, que nos vem fazendo sofrer, se desfaz em uma explosão de humor, o fardo associado a ela também some.

Usando o humor

Seu senso de humor é um importante recurso em suas transações com pessoas difíceis. Você pode usá-lo para tirar o drama das situações e neutralizar a agressividade de outras pessoas. Vejamos alguns exemplos de situações delicadas onde o humor pode ser útil:

- Quando você quer dizer algo sem ofender ninguém.
- Se você está obcecado com um problema e pode apenas pensar na solução convencional, o humor pode ajudar a reformulá-la e a quebrar um ciclo improdutivo de pensamento.
- Você já percebeu como as pessoas que gastam horas trabalhando contra o relógio, frequentemente precisam sentar e fazer brincadeiras estúpidas sobre qualquer coisa? Essa é uma simples forma de liberar a tensão – o humor atua como uma válvula de escape.
- Durante um conflito, quando as negociações chegaram a um impasse, o humor pode retirar obstáculos e incitar as pessoas a sair fortalecidas de suas posições. Ele abre novas linhas de comunicação.
- Se você quer atingir pessoas que se fazem de surdas, o humor pode atrair a atenção delas sem deixar ninguém ferido.
- Se você quer fazer alguém se sentir bem, o bom humor cordial pode superar barreiras de idade, educação, posição social, diferença de interesses, etc.
- Se você tiver que falar em público, o humor pode ajudar a relaxar e a atrair a atenção dos outros.

Por esses exemplos, podemos deduzir que o humor é uma preciosa forma de assegurar sucesso nas relações interpessoais.

Afiando seu senso de humor

O senso de humor está ligado à habilidade de brincar e é indispensável para qualquer tipo de pensamento criativo. Para afiar seu senso de humor você tem de se permitir brincar. Por exemplo, você considera o trabalho uma punição ou acha que o tipo ideal de trabalho é aquele que é divertido? Você acha que os problemas existem para arruinar a nossa existência ou para estimular a nossa imaginação?

Quanta importância você dá à criatividade e à diversão em sua vida? Se você é do tipo de pessoa que dá uma gargalhada de verdade pelo menos uma vez por dia, então não precisará ler esta seção. Mas poucas pessoas são suficientemente felizes ou realizadas, ou suficientemente distraídas de seus problemas, para rir com a frequência de uma vez ao dia. Essa seção é para elas.

Uma coisa é certa: humor faz as pessoas rir, ou, ao menos, sorrir. Você pode rir sozinho: certamente você já se pegou rindo alto enquanto lia, ouvia ou via algo engraçado. Você também pode fazer os outros rir, mas para agradá-los, tem de se agradar primeiro. Rir é tão contagiante quanto o tédio ou a tristeza.

É impossível você usar seu senso de humor se não rir regularmente sozinho.

Rir exige a contração de dois ou mais grupos musculares da face: um puxa os cantos da boca para cima e outros puxam o lábio inferior para cima, esticando a boca. Se você rir raramente, esses músculos podem atrofiar e pode acabar tendo uma carranca permanente, até mesmo quando quiser rir. Portanto, você deve fazer alguns exercícios que utilizem todos os músculos faciais. Então, toda manhã, antes de sair de casa, faça alguns exercícios faciais usando seus músculos fazendo todos os tipos de caretas. Isso colocará um sorriso em sua face e irá ajudá-lo a se manter jovem. Mas você pode fazer algo ainda melhor: saia e aproveite todas as situações que puder para rir.

Evite más notícias

O mundo, frequentemente, parece estar à beira de um desastre e as coisas parecem um tanto quanto desesperadoras. Fome, guerra, epidemias, assassinatos, desastres naturais – não há muita coisa com que se animar!

Se você quer manter a sua capacidade de rir, uma sábia precaução a ser tomada é não dar muita atenção aos artigos de jornal e às reportagens de televisão sobre catástrofes, pois costumam ser exageradas pelos jornalistas que querem vender seu peixe. É mesmo necessário gastar tanto tempo com aquele amontoado de notícias? Se você lê o jornal todos os dias, por que não passa a fazê-lo duas ou três vezes por semana? Você descobrirá que quanto menos informado estiver menor será a dose de negatividade que absorverá.

Ria todos os dias

Encontrar ocasiões para rir quando as coisas estão se quebrando ao seu redor não é sinal de cinismo ou de loucura. Pelo contrário, o humor ressuscita o espírito na sombra da adversidade, prestando-nos um serviço difícil de ser igualado.

Distancie-se de pessoas rabugentas e mantenha-se em contato com as que gostam de rir, até mesmo quando surge um problema. Assista a filmes divertidos, leia livros engraçados, alugue fitas de comédia, assista a seus programa divertidos favoritos na televisão... Quanto mais você ri, mais fácil fica rir! Se você se concentrar nas coisas divertidas da vida, o queacha que ocupará a sua mente? Risada! Esqueça os dias de condenação e aproveite a vida!

Exercício: Reduzindo o drama

Para afiar seu senso de humor você pode aplicar alguns métodos clássicos de criatividade na resolução de problemas.

Comece relembrando a situação, do presente ou do passado. Descreva a situação em algumas linhas. Por exemplo:

> "Quando voltei do além-mar, depois de uma ausência de alguns anos, eu comecei a procurar um emprego. Fui chamado para muitas entrevistas, depois das quais eu sempre recebia uma carta dizendo: 'Ficamos tristes em informar que, depois de longa consideração, você não foi escolhido para o cargo. Manteremos sua ficha em nossos arquivos para o caso de termos outra vaga disponível.' Depois de um tempo, senti-me como se estivesse andando por aí com uma cruz nos ombros..."

Na realidade, esta é uma história séria e bem maçante. Como ela pode ficar bem-humorada?

Considere o mesmo problema por vários pontos de vista que reduzam o drama, deixem a questão totalmente em aberto e permitam a você distanciar-se um pouco. Quer um exemplo? Exagerando! Exagere, aumente e dramatize os fatos ao extremo. Apresente-os sob uma luz monstruosa e desproporcional:

"Quando voltei de além-mar, percebi que tinha ficado longe por muito tempo, eu nem sabia o tipo de dinheiro que estava sendo usado."

Diminua os fatos. Miniaturize, reduza, encolha, subtraia e diminua os fatos originais:

"Comecei a procurar um emprego, qualquer tipo de trabalho. Realmente, eu não tinha qualquer pretensão de achar algo interessante, mas apenas alguma posição insignificante que me pagasse dez mil dólares por mês e tivesse oito semanas de férias remuneradas por ano..."

Reverta os papéis. Imagine que os papéis estão trocados e que é você quem se recusa a aceitar um emprego. Você se contradiz e se opõe a tudo o que parece óbvio. Em outras palavras, você exagera no sentido inverso:

"Eu fui chamado por muitos entrevistadores que ficaram fascinados com minha pessoa. Eles estavam insaciavelmente curiosos e eu tentei satisfazê-los, ao menos a princípio. Rapidamente, eu começava a interrogar os entrevistadores. Houve até mesmo um que, depois de duas horas e meia, começou a chorar confessando-me que não aguentava mais seu emprego..."

Abafe um elemento do problema. Ponha cada elemento do problema sob um exame minucioso e, finalmente, elimine-o, dando à situação um caráter absurdo ou burlesco:

"Depois de um tempo, percebi que não precisava trabalhar, pois estava indo muito bem com o rendimento que recebia de várias fontes. Mas a máquina insana já estava em funcionamento e continuei recebendo chamados para entrevistas de emprego. Mesmo que não tivesse interesse em obtê-los, eu ia de qualquer forma, pois não queria ser uma fonte a mais de frustração para os entrevistadores...".

Encontre ligações inesperadas. Estamos acostumados a estabelecer ligações entre um copo e o ato de beber, por exemplo; ou entre uma porta e a entrada de um edifício. Mudem-se essas ligações habituais e teremos coisas como um copo musical ou uma porta para a eternidade:

> "E eu sempre acabava recebendo uma carta que terminava dizendo 'você é tão qualificado que não temos um emprego importante o suficiente para você.' Eu recebi tantas dessas cartas que não precisei comprar papel higiênico por alguns meses...".

Agora é sua vez...

Dizer não com humor

Em primeiro lugar, o humor irá ajudá-lo a ganhar tempo. Fazer a outra pessoa sorrir ou dar risinhos irá dar-lhe tempo para reconhecer seus pensamentos e preparar seus argumentos. Isso ajuda a neutralizar a tensão e a ansiedade, tanto sua quanto do outro.

Em segundo lugar, o humor previne uma perda de prestígio:

Seu superior pede para que você fique e trabalhe até mais tarde. Você prefere recusar, mas não quer se opor a ele, especialmente porque há muitas pessoas presentes. Você sabe que ele perde a cabeça muito rapidamente. Então, sua recusa terá de ser muito diplomática:

Como você pode responder?

"Eu realmente gostaria de ficar até tarde, mas depois das sete horas eu costumo acrescentar zeros aos números! Se queremos proteger os interesses da empresa, seria melhor esperar até sábado de manhã para terminar esse trabalho. O que você acha?"

Ninguém perdeu prestígio. Todos no escritório deram uma boa risada e seu superior captou a mensagem, sem ter nenhuma razão para se irritar.

Em terceiro lugar, o humor alivia a tensão. Alguém quer algo que você não está disposto a dar – pode ser o seu tempo ou a sua participação. Você pode usar o humor para aliviar a tensão e, ao mesmo tempo, fazer o outro entender que sua recusa não é questão de má intenção. Isso é especialmente importante se você já teve de recusar a um pedido da mesma pessoa antes, sob circunstâncias similares. Por exemplo: você está esperando dez pessoas para jantar e reservou o dia para os preparativos. Alguém liga pela manhã pedindo algumas horas de seu tempo.

Qualquer que seja a sua relação com a pessoa, você pode usar uma variação da técnica a seguir: "Eu sei que você está precisando de mim hoje!", diz calmamente, "Se você puder ligar para um buffet e encomendar um jantar para dez pessoas, e fazer com que seja entregue aqui às sete horas, eu terei prazer em te ajudar."

O que você está fazendo é responder a um pedido com outro, com bem poucas probabilidades de ser atendido e feito como condição para aceitar o primeiro pedido. Você aliviou a tensão que uma recusa direta teria causado e evitou que o outro perdesse o prestígio.

Em quarto lugar, o humor neutraliza a agressividade. Esse talvez seja o efeito mais importante do humor. Você sabe como a agressividade incontrolada pode ser perigosa; isso pode rapidamente tornar-se uma violência verbal, evitar que você atinja seus objetivos e, às vezes, levar à perda da amizade, da afeição e do respeito da outra pessoa. O humor pode ajudar a evitar tudo isso. Quando você tenta ser engraçado, seu corpo relaxa, sua expressão se atenua e seu rosto se ilumina com um tênue sorriso – tudo o que dificulta a manutenção da atitude hostil por parte da outra pessoa. Vamos ver um exemplo:

Você está na fila do caixa, no supermercado, esperando para pagar suas compras da semana. O caixa expresso está fechado; então, você, educadamente, deixa duas pessoas passarem à sua frente, já que cada uma delas tem apenas um item para pagar. Quando você está pondo suas compras no caixa chega uma terceira pessoa, dizendo: "Você se importaria de me deixar passar na sua frente? Eu tenho apenas algumas coisas..." Sua primeira reação é agressiva. Você gostaria de dizer algo como: "Sim, eu me importaria! Fique na fila como todos os outros! Já deixei pessoas suficientes passarem na minha frente!" Felizmente, você contou com seu senso de humor para ajudar. Você continua pondo suas compras no caixa e responde, sorrindo: "Eu estava ajudando em um parto de quíntuplos de uma mulher essa tarde, quando percebi que não tinha nada para o jantar. Eu realmente gostaria de deixar você passar na minha frente, mas o quinto bebê pode nascer a qualquer momento e eu realmente preciso voltar logo!"

A pessoa, provavelmente, começará a rir, apesar de você estar se recusando a atender ao pedido dela – e o problema foi resolvido sem nenhuma atitude hostil.

Resista ao sarcasmo

Fique atento ao seu próprio tom de voz. A mesma brincadeira pode ser interpretada como uma agradável demonstração de humor ou como escárnio e zombaria, dependendo de como for feita. Também, nunca zombe das pessoas. Ironia e sarcasmo são facas de dois gumes, porque o envolvem em uma situação de ganha-e-perde, da qual os perigos já foram discutidos. Você corre o risco de dar início a uma escalada de violência verbal, pois a pessoa entenderá o que você está fazendo e responderá no mesmo estilo.

Na jaula do leão

Até mesmo a pessoa mais carismática tem, às vezes, de encarar uma audiência hostil e ridícula. Digamos que você tem más notícias a dar – humor é a única maneira de deixá-la mais leve. Digamos que um orador está enfrentando uma audiência não muito receptiva. Ele já sabe que as informações que tem a dar não são boas, então, ele limpa a garganta e começa: "Quando eu descobri que estaria falando para vocês esta tarde, pensei que, se eu tivesse a sabedoria de Salomão e a paciência de Jó, poderia, talvez, ter evitado o destino de Jonas!" Fazendo a audiência rir, ele já venceu metade da batalha.

Para concluir este capítulo, aqui está uma pequena história que mostra como o humor pode ser usado para instruir os outros sobre assuntos mais sérios. Um dia, um jovem estudante perguntou ao professor: "Quem fez melhor: o homem que conquistou um império, o homem que podia ter conquistado e não o fez ou o homem que impediu alguém de conquistar um império?". O professor respondeu, "Eu não sei, mas o que eu sei é que tem algo mais difícil que isso". "O quê?" disse o estudante. "Tentar ver as coisas como elas realmente são", replicou o professor.

Conclusão

Aqui estamos nós, no fim do livro. Talvez você tenha lido direto, do início ao fim. Em caso positivo, sugiro que volte e leia novamente, seção por seção. Você perceberá algumas coisas para as quais pode ter fechado os olhos ou que foram puladas, sem terem sido registradas conscientemente.

Seguindo o conselho oferecido, você experimentará uma iluminação e facilitação gradual das tensões de seu dia a dia. Este é um livro prático, que poderá ajudá-lo de formas inesperadas: você ganhará mais autoconfiança, os outros passarão a compreendê-lo melhor, eles irão querer ajudá-lo em vez de atrapalhar, você fará mais amigos e assim por diante. Lidar com pessoas difíceis também significa lidar com seus próprios medos, dissipando velhos demônios e fazendo de sua vida uma experiência harmoniosa da qual os outros possam compartilhar e admirar.

Apenas posso desejar que meu trabalho sirva para mudar a sua vida de alguma maneira positiva – como mudou a minha – à medida que aplique as técnicas para lidar com pessoas difíceis, tranquila e eficazmente. Agora, depende de você. Somente você pode transformar essas palavras em ação. Boa sorte!

Apêndice 1

Agressão Passiva

Há um tipo especial de pessoa agressiva que você já deve ter encontrado antes: são as que parecem generosas porque não sabem como dizer não. Mas, como é frustrante sempre dizer sim quando se prefere dizer não, tais pessoas acumulam um monte de ressentimento contra aquelas que lhes pedem coisas. Esse tipo de agressão, que frequentemente é inconsciente, é feita por um édito que vai de volta à infância, e que diz: "Seja educado!" Isso se manifesta de maneiras sutis: compromissos esquecidos, trabalho para o qual se fechou os olhos, atrasos, promessas não mantidas e assim por diante. Chamamos esse tipo de passivo-agressivo.

Quando lidar com uma pessoa passiva-agressiva, você não pode apenas pedir-lhe alguma coisa e obter um sim como resposta. Você tem de ir mais adiante:

- Diga à pessoa por que o que você está pedindo é tão importante para você.
- Esclareça seu pedido dizendo: "Tenho a sua palavra de que você vai fazer isso?"
- Faça a pessoa entender o que acontecerá se não mantiver a sua palavra.

- Continue a conversar depois de terem chegado a um acordo e peça à pessoa que repita o que deve ser feito. Peça-lhe que escreva – apenas três linhas é suficiente.
- Não espere que passe o prazo final. Certifique-se de que a pessoa está dando os passos intermediários necessários para completar suas obrigações fazendo perguntas como: "Como vai indo aquele trabalho? O que você já fez?" Considere que isso são os lembretes de que a pessoa passiva--agressiva necessita.

Se a pessoa insistir em não manter a palavra, tente comportar-se da mesma forma em relação a ela – dê-lhe uma dose de seu próprio remédio. Por exemplo: chegue a uma reunião com 45 minutos de atraso; peça-lhe algum dinheiro emprestado e pague com um mês de atraso; faça uma promessa e não a cumpra... Depois, reserve um tempo para explicar por que você fez o que fez. Pergunte à pessoa como ela sentiu depois de você não ter mantido a sua palavra. Foi bom? Bem, é exatamente assim que você se sente... Então, faça um acordo limitado e progressivo com a pessoa; algo como:

- Se a pessoa tiver alguma inclinação para dizer não, faça-a dizer isso imediatamente.
- Ponha as coisas nos seus devidos lugares pelo menos uma vez por mês, ou por semana. Se houver algum atraso, você deve ser avisado imediatamente.

Como muitas pessoas difíceis, o importante é expressar muito claramente a forma pela qual você é afetado quando elas não mantêm a palavra e chegar a um acordo, juntos, de como remediar a situação.

Apêndice 2

Teste de VAT

Para cada uma das 12 situações a seguir, circule a opção que você preferir.

1. Você tem de passar seis semanas trancado em um abrigo subterrâneo contra bombas. Você terá tudo o que for necessário para sua sobrevivência e poderá levar apenas um item adicional da lista que segue. Qual você escolheria?
V1 Um projetor de slide e uma coleção de fotos de pessoas, paisagens, obras de arte e assim por diante.
A1 Um cd player e uma coleção com suas músicas favoritas.
T1 Uma cama mais confortável do que a que tem no abrigo e um aquecedor adicional, para fornecer uma temperatura constante e confortável.

2. O que você mais gosta em uma fogueira:
V2 Olhar as chamas.
A2 Ouvir o crepitar da madeira queimando.
T2 Sentir o calor.

3. Você foi a um desfile de moda e o que você mais gostou nisso foi:

V3 A beleza da arquitetura e a coleção de pinturas.
A3 O trecho de sua música favorita tocada virtuosamente no fim da noite.
T3 O ambiente confortável – tapete macio, sofás, luzes animadas, etc.

4. Você está saindo pela primeira vez com alguém que acha muito atraente. O que você mais gosta nessa pessoa é:
V4 Sua elegância ou beleza física.
A4 Sua voz charmosa.
T4 A eletricidade quando vocês se tocam.

5. O que mais detesta em uma cama é:
V5 Que os lençóis, embora recém-lavados, estejam sujos.
A5 O jeito como ela faz barulho à medida que você se mexe.
T5 A sensação de migalhas entre os lençóis.

6. Quando dá orientação a alguém, você tende a:
V6 Fazer um esboço.
A6 Fornecer detalhadas descrições verbais.
T6 Acompanhar a pessoa ou usar gestos para indicar o rumo certo.

7. O que faria seu trabalho ficar mais agradável:
V7 Uma decoração de bom gosto, com muitas plantas e pinturas coloridas nas paredes.
A7 Música de fundo de sua escolha, quando você quiser.
T7 Uma mesa de trabalho feita com alguns materiais de luxo, que você goste de tocar.

8. Deixando de lado o valor monetário e sentimental, qual o presente que você mais gostaria de ganhar:
V8 Uma bela pintura ou gravura.
A8 Uma coleção de suas músicas favoritas.
T8 Uma peça de roupa, de cashmere, pele ou seda.

9. Se você quisesse relaxar, escolheria:
V9 Contemplar uma paisagem magnífica.
A9 Ouvir uma fita com músicas ou palavras relaxantes, em um local silencioso.

T9 Hidromasssagem, massagem ou sauna.

10. O que você acha mais insuportável nas cidades grandes e superpopulosas é:
V10 A feiúra do ambiente: os edifícios encardidos, os pavimentos sujos, etc.
A10 O incessante barulho.
T10 A multidão de pessoas nas ruas e nos ônibus.

11. A coisa que você acha mais atraente em um rio é:
V11 Maravilhar-se com a luz em sua superfície ou com a água caindo sobre as pedras.
A11 Fechar os olhos e ouvir o suave barulho das águas correndo.
T11 Se refrescar em sua água fria.

12. Quando você pensa em algo prazeroso:
V12 Você vê imagens precisas, vivas e coloridas, passando por sua mente.
A12 Você fala consigo mesmo sobre o que quer que seja, como se tivesse tendo uma conversa dentro de sua cabeça.
T12 Você retoma ou antecipa o prazer que experimentou uma vez.

Para descobrir se você é um tipo visual, auditivo ou tátil, some o número de V, A e S que circulou:

Visual (V):

Auditivo (A):

Tátil (T):

O sentido com mais pontos, provavelmente é o que domina sua percepção. Para ter certeza absoluta, você precisaria fazer uma análise mais detalhada – esse teste foi elaborado para torná-lo mais consciente das diferenças entre percepção visual, auditiva e sensorial nas pessoas, e não para medir precisamente essas diferenças.

Tipos visuais

Pessoas visuais selecionam imagens do passado, que, então, usam para interpretar o que está acontecendo no presente. Elas não gostam de olhar nos olhos dos outros – preferem olhar ao redor livremente, ou para dentro de suas mentes ou simplesmente o espaço. Elas colocam mais ênfase em cores e formas quando descrevendo as coisas do que pessoas auditivas ou sensoriais, e costumam ser muito sensíveis às cores no ambiente, ao esmero ao seu redor e à beleza das paisagens. Pessoas visuais dificilmente se perdem. Elas guardam um monte de imagens interiores e sabem como acessá-las quando surge necessidade.

Tipos auditivos

Pessoas auditivas frequentemente dialogam consigo mesmas. Às vezes, têm dificuldade em tomar decisões porque essas vozes interiores tendem a discutir os assuntos de forma interminável e sem chegar a qualquer conclusão nítida. Pessoas auditivas costumam ter voz agradável e escolheriam ir a um concerto ou ouvir boa música quando precisarem relaxar.

Tipos táteis

Pessoas táteis "sentem" as coisas. Elas sabem como ultrapassar obstáculos e resolver conflitos e, frequentemente, demonstram emoções conflitantes em suas próprias vidas: se não amam uma pessoa, odeiam. Elas fazem muita pausa enquanto falam, o que lhes dá tempo para se sintonizar com seus sentimentos e estabelecer contato tátil com o que os rodeia e com seus eu-interiores.

Apêndice 2: Teste de critérios.

Circule duas escolhas em cada uma das oito situações seguintes.

1. Qual dos eventos a seguir você acharia mais doloroso?
A1 Quebrar um objeto que você valoriza muito.

I1 Perder arquivos com importantes informações sobre um assunto que lhe preocupa.
L1 Observar um lugar que você gostaria de destruir.
A1 Ser impedido de fazer algo que você gostaria de fazer.
E1 Perder um importante encontro familiar ou social.
P1 Perder, repentinamente, a amizade de uma pessoa que você goste, sem razão aparente.

2. Qual foi a impressão mais profunda que suas últimas férias deixaram?
P2 As pessoas com quem você estava ou quem se encontrou.
L2 Os lugares que você conheceu ou aos quais retornou.
A2 Todas as coisas agradáveis que você fez.
E2 O fato de a data das suas férias ter coincidido com um importante evento em sua vida.
I2 Todas as coisas interessantes que você aprendeu.
O2 Os souvenirs bonitos ou valiosos que você comprou

3. Você tem de escolher entre seis empregos. Todos oferecem o mesmo salário, férias, aposentadoria e programas sociais e ficam à mesma distância de sua casa. No entanto, cada um tem uma vantagem especial. Qual você escolheria?
E3 Essa é a primeira vez na história da profissão que alguém com a sua bagagem e treinamento é nomeado para a posição.
L3 Seu escritório fica em um edifício de especial prestígio.
A3 Você se encarregará de uma ou várias tarefas que gosta de fazer, ou que te interessam por motivos pessoais.
P3 Você estará trabalhando próximo a um velho amigo, de quem você gosta muito.
I3 Você receberá informações e dados completos e as últimas pesquisas técnicas.
O3 Você receberá os materiais e equipamentos mais altamente sofisticados – os melhores no seu ramo.

4. Por razões profissionais, você tem de sair de casa para passar um ano em um país tropical e subdesenvolvido. O que mais o preocupa é:
P4 Ficar longe de sua família e de seus amigos.
L4 Ele oferecer muito pouco do conforto ao qual você está acostumado.

E4 Nada de importante acontecer e você ficar totalmente isolado de qualquer grande evento mundial que possa acontecer durante sua ausência.
A4 Ele ser muito isolado; não teria nada para fazer além das horas de trabalho e isso se tornará extremamente entediante.
I4 Você não saber nada sobre o lugar e o medo de haver uma séria falta de informações de todos os tipos.
O4 Se você levar sua mobília, os insetos provavelmente iriam devorar seus tapetes e a umidade iria destruir suas pinturas e impressões.

5. Quando você pensa sobre sua infância, quais tipos de lembrança vêm mais facilmente a sua mente?
I5 O nome exato dos colegas de escola e outras informações precisas sobre esse período de sua vida.
P5 Pessoas que tiveram um papel importante em sua infância. Deixando de lado pais, incluindo amigos, vizinhos, familiares, professores...
A5 Seus jogos favoritos ou coisas que gostava de fazer quando era criança.
O5 Brinquedos e outros objetos que você tinha e que lhe davam muito prazer.
L5 O lugar, ou lugares, onde importantes eventos de sua infância aconteceram.
E5 Eventos memoráveis aos quais você testemunhou ou participou.

6. Seu sonho é:
P6 Viver no meio de pessoas calorosas e comunicativas.
L6 Viver em um belo lugar.
A6 Realizar muito mais do que já realizou.
E6 Interpretar o papel principal em um evento excepcional.
O6 Comprar todas as coisas que quiser.
I6 Ter um grande conhecimento e cultura universal.

7. O ano é 1500 a.C. Você é um conselheiro do faraó do Egito. Você tem liberdade para escolher um item dedicado à posteridade que será enterrado com o faraó em sua tumba. O que você escolheria?

P7 Uma descrição semelhante ao natural dos pais, filhos e amigos do rei, descrevendo as qualidades e quão devotados eles eram a suas regras.
O7 Um bonito busto feito em madeira e ouro, cravejado com pedras preciosas como um testemunho do nível dos artesãos do reino.
I7 Um armário contendo todos os medicamentos conhecidos até então.
E7 Uma placa comemorativa descrevendo o esplendor do dia da coroação do faraó e dos principais eventos regionais.
A7 Uma pintura fresca retratando os gloriosos feitos do faraó.
L7 Um monumento subterrâneo vazio que serviria como lugar para gerações futuras meditarem.

8. Você soube da descoberta de uma tribo de pessoas até agora desconhecida em um vale remoto do Himalaia. A primeira coisa que você quer saber é:
I8 Como eles são, como se chamam, que língua falam, qual o tamanho de seu território e qualquer outra informação precisa que puder encontrar.
E8 Como essa descoberta extraordinária aconteceu – em que data, por quem e sob quais circunstâncias.
O8 Como são os artefatos da tribo? Seriam eles exibidos em algum lugar num futuro próximo?
P8 Como essas pessoas, isoladas há tanto tempo, se comportam? Eles são amigáveis ou hostis? Curiosos sobre o mundo exterior ou temerosos e desconfiados? Como é a relação homem-mulher?
L8 Como é o vale onde eles moram? Eles vivem bem? Será possível, em pouco tempo, visitá-los em seu cenário natural?
A8 O que pode ser feito por eles? Há alguma organização à qual você possa entrar em contato para ajudá-los?

Tabela de análise

Para encontrar seu total, some as letras que você circulou. Os dois critérios que somarem mais pontos são os mais importantes para você:

Eventos (E):
Lugares (L):

Atividades (A):
Pessoas (P):
Informações (I):
Objetos (O):

Eventos

Para você, a vida é uma sucessão de eventos. Pode, facilmente, se lembrar das datas de coisas que te aconteceram. Você dá grande importância a tudo, seja uma primeira ou uma última ocasião. Parece intensificar as circunstâncias e, ao lado disso, mora o perigo: você pode se tornar muito preocupado com eventos isolados e esquecer que a vida continua indo em frente.

Lugares

O mundo é feito de lugares que têm um significado especial para você. Você precisa saber de onde uma pessoa veio antes de se aproximar para conhecê-la e o ambiente exerce uma grande influência sobre seu comportamento e humor. Você cria fortes ligações sentimentais com certos lugares e corre o risco de esquecer-se de que o nosso real lugar é o mundo todo.

Atividades

Você vê o mundo como uma grande quadra. Para entender alguém você tem de saber o que ele faz da vida. Quando fala de si mesmo, relata com prazer às pessoas o que faz ou deixa de fazer. Às vezes, tem a sensação de que não fez alguma coisa, mesmo tendo estado em grande atividade durante todo o dia. Você gosta de trabalhos que requerem mobilidade e movimento e prefere esportes a uma leitura. Você corre o risco de se tornar um viciado em atividades ou em trabalho.

Pessoas

O que mais conta na sua vida são as pessoas. Você gosta de estar em contato com os outros e se preocupa com seus relacionamentos. Quando você encontra uma pessoa, precisa saber a que grupo social pertence ou se têm algum amigo em comum, para se relacionar com ela. Quando tem de fazer uma escolha, a coisa mais importante é saber o que os outros dizem a respeito. Você pode ser atrapalhado pela sua tendência de levar tudo para o lado pessoal.

Informações

Há muito para se saber! Você está sempre procurando coisas novas para aprender nas situações pelas quais passa e é muito eficiente coletando dados. O que mais o motiva é seu desejo de saber mais, de obter todos os tipos de informações precisas e de dados gerais sobre muitos assuntos. O perigo para você é analisar demais as coisas em vez de vivê-las completamente.

Objetos

Para você, o mundo está cheio de coisas que nunca serão totalmente exploradas, classificadas, preservadas e admiradas. Você é muito habilidoso em qualquer coisa que tenha relação com objetos: organizar, classificar, consertar, construir, contar, colecionar, administrar, conservar, restaurar, etc. Você daria um bom gerente, já que gosta que as coisas estejam organizadas e em boas condições. Você valoriza o lado material da vida e tende a ver os seres vivos como objetos.

Apêndice 3

Relaxamento e Visualização

Para fazer esse exercício, você precisará da ajuda de outra pessoa, de alguém que possa ler o texto para você, com voz e velocidade apropriadas. Ou poderá gravar uma fita você mesmo.

Fique em uma posição confortável – evite pernas ou braços cruzados. Feche os olhos e se concentre em suas pálpebras e, particularmente, nos músculos ao redor de seus olhos. Relaxe-os lentamente... muito lentamente. Agora, deixe essa sensação de relaxamento se espalhar por todo seu corpo. Respire fundo e, enquanto estiver respirando, repita várias vezes, em sua cabeça, o número sete e imagine estar vendo a cor vermelha. Relaxe seu corpo inteiro, da cabeça aos dedos dos pés. Re-la-xe. Deixe seu corpo relaxar profundamente.

Novamente, respire fundo, mas dessa vez repetindo o número seis e visualizando a cor laranja... Você somente quer fazer o que for bom para você... Inspire profundamente. Então, quando expirar, repita o número cinco em sua mente e visualize a cor amarela... Sua mente está calma e tranquila... Sua mente está descansando.

Inspire profundamente outra vez e, quando expirar, repita o número quatro em sua mente e visualize a cor verde. Você foi tomado por um sentimento de paz. Pense na palavra se-re-ni-da-de.

Inspire profundamente e, quando expirar, repita para si mesmo o número três, enquanto imagina a cor azul. Um sentimento de amor cresce profundamente dentro de você. Você se sente cheio de amor.

Inspire profundamente e, à medida que expirar, repita o número dois em sua mente e visualize a cor violeta. Você está em contato com a real essência de seu ser... Você está em harmonia consigo mesmo.

Inspire profundamente e, à medida que expirar, repita o número um e visualize a cor púrpura. Agora você está em contato com a parte mais profunda de seu ser. Você está em harmonia consigo mesmo. Sua mente atingiu seu nível mais profundo. Você pode utilizar essa energia para realizar o que desejar, contanto que seja alguma coisa que deseje com sinceridade.

Imagine uma grande esfera de luz branca. Essa esfera está flutuando acima da sua cabeça e emite uma bela luz branco-dourada que banha todo o seu corpo. Deixe a luz penetrar e enchê-lo completamente. A luz dourada o preenche, o envolve e o protege. Agora, apenas coisas benéficas podem acontecer com você. Você libera toda a negatividade e o ressentimento, que está sendo descarregado de seu sistema.

Visualize-se em um cenário natural e cheio de paz. Experimente a sensação de grande tranquilidade e harmonia que está te rodeando. Que cores você vê? Encha seus pulmões com ar puro, fresco e de cheiro agradável. Ouça os sons. Talvez você possa sentir o calor do sol em sua pele e a suave terra sob seus pés. Você vê um caminho que se perde no infinito...

Comece a andar pelo caminho, atento a tudo o que perceber: imagens, sons, sensações. O caminho continua pela floresta e, então, abre-se em uma clareira que se estende por um campo dourado, até onde os olhos podem ver. Na sua frente há uma área cercada por uma muro de pedras ou uma cerca de arame. Há uma placa pendurada na cerca, com as palavras "ferro-velho" escrita em grandes letras.

Abra o portão e entre. Examine a pilha de lixo. Parece muito velha. Você se curva e olha mais de perto e um pedaço de metal em especial chama sua atenção. Concentre toda sua atenção nesse pedaço de metal... e pegue-o. Enquanto você carrega esse pedaço de metal em suas mãos, pense em uma vez em seu passado quando você apoiou alguém – quando disse que faria alguma coisa ou que iria a algum lugar com alguém. Você se lembra de como a pessoa se sentiu quando você não passou? Você se lembra do que ela disse? O que você disse ou fez quando rompeu o acordo? Agora ponha o pedaço de metal de volta onde estava e deixe a memória enfraquecer.

Mexa-se até outras pilhas de sucata, procurando outros pedaços de metal. Pegue um... olhe para ele... ele lembra algo que você fez há muito tempo e que o fez sentir culpado... algo que você sabia que não deveria ter feito, mas fez mesmo assim... Alguma outra pessoa estava envolvida? Você feriu alguém com suas ações? Como você se sentiu? O que aconteceu com a sua culpa desde então? Ponha o pedaço de metal de volta onde o encontrou e deixe a memória enfraquecer.

Continue andando pelo ferro-velho. Você pode se lembrar de uma vez em que foi ferido, quando ficou muito ressentido em relação a alguém. Talvez você tenha julgado ou punido alguém injustamente ou, talvez, tenha sido julgado e punido. Você pode se lembrar de momentos de intenso ódio, raiva, tristeza, depressão. Você pode pensar sobre todas as vezes em que foi desapontado pelos outros... e sobre todos os ressentimentos que sentiu em relação a eles.

Andando pelo ferro-velho, você detecta um odor fraco, mas nojento. Você olha ao redor e descobre que o cheiro parece vir de uma parte separada do ferro-velho, cercado por seu próprio muro. Você se aproxima do muro, mas ele é muito alto para você ver além. Você encontra um velho caixote de madeira e sobe nele. O que você vê do outro lado é uma fétida mistura de coisas em decomposição. Você percebe que esse amontoado de cheiros contém todas as coisas que vivem te incomodando... coisa que você rejeitou ou escondeu... sua animosidade, ressentimento e ódio. Você sabia que aquelas coisas estavam lá... você sabia quão nojento era o cheiro delas e se puniu por fazerem parte de sua vida. Apenas fique atento a elas. O muro que escondia esse amontoado de lixo é o mesmo que você coloca entre você e as pessoas...

Vá para uma parte do ferro-velho que está em um terreno ligeiramente elevado. De lá você pode ver além de suas fronteiras. Vê algo distante que parece estar brilhando suavemente... é atraente e tranquilizador. O local distante é rodeado por uma auréola de luz azul com pontos violeta e dourado. Esse é o lugar onde a parte mais pura de sua mente mora. Mas, no momento, há uma pilha de lixo entre você e esse lugar puro, assim como um muro que impede o acesso à parte mais profunda e positiva de você.

Saia do muro interno, do portão do ferro-velho. Sente-se no chão e olhe para o ferro-velho... lembre-se de toda a dor, a punição, os ferimentos... todos os julgamentos que você fez a respeito dos outros que lhe causaram dor e sofrimento. Está tudo dentro desse ferro-velho. Imagine que o ferro-velho começa a girar, a princípio, vagarosamente e, então, mais e mais rápido, transformando-se em uma enorme massa de matéria da cor vermelho-escuro. Todo seu lixo, a cerca, o muro interior, o amontoado de sucata – misture tudo junto com a enorme massa de matéria vermelho-escura...

À medida que a massa vermelho-escura torna-se sempre mais compacta, você se conscientiza de que ela é composta de algumas ações que cometeu e de algumas que aconteceram com você... mas que a massa não é realmente você. Você sabe que há um lugar muito mais profundo dentro de você... aquele distante lugar brilhando suavemente – um lugar de conforto e calor...

Desse lugar brilhante, um raio de luz projeta-se na massa sombria de seu lixo – um raio que provém de seu profundo desejo de reconciliação. A massa vermelho-escura torna-se uma pequena luz à medida que o raio penetra nela. A massa de energia negativa fica laranja. Enquanto ela vai clareando, você sente que algumas das emoções que ela contém vão se dissipando e se sente mais leve. A massa de energia negativa continua pulsando e clareando a cor. Agora, tornou-se amarela. Você compreende que um grande número de eventos negativos pelos quais você passou foram degraus em sua trilha para o entendimento – se você não os tivesse vivido, não entenderia o que está fazendo agora. Eles existiram para abrir sua mente e ajudá-lo a se descobrir...

À medida que pensa nisso, a massa amarela transforma-se em um verde-pastel. Tudo se torna mais claro. Você compreende muito mais e sente-se reconciliado consigo mesmo. A cor verde parece produzir um profundo sentimento de calma, que impregna todo o seu corpo. Reconciliação e perdão são fáceis de serem atingidos. Agora, você pode se perdoar por todas as vezes que julgou a si e aos outros muito severamente. E, à medida que experimentar esses sentimentos de reconciliação e autoperdão, enquanto começa a se aceitar, a massa de energia negativa muda para um azul profundo, caloroso e receptivo... um azul profundo muito bonito. Dessa cor azul irradia uma ótima sensação de sensibilidade que o cobre... e você começa a ver um toque de violeta.

A negatividade na massa praticamente já sumiu e você está se aproximando cada vez mais daquele lugar convidativo que é o seu real eu... o lugar que sempre esteve lá para te amar e valorizar... que permitiu que o ferro-velho existisse porque achou que você o queria lá. Agora que você fez isso desaparecer por completo, seu verdadeiro eu te abraça e dá boas-vindas, feliz por tê-lo de volta...

A cor violeta se torna dourada, com um círculo de luz branca intensamente brilhante que vibra em seu centro. Agora a luz está mais destilada, até mesmo mais pura, e fica invisível. Isso o completa... seu coração se enche com uma luz de cor branco-dourada. Agora, envie a luz para todas as partes de seu corpo que precisem de cura... aos lugares onde você se sente vazio, triste, sujo ou ferido. Preencha essas áreas com a calorosa luz branco-dourada. Deixe a luz dissolver quaisquer resquícios de negatividade... de sofrimento... de necessidade. Deixe que você se torne a pessoa radiante que realmente é.

À medida que deixar a luz preencher seu corpo, deixe-a iluminar tudo a sua volta também, irradiando do seu coração. Deixe a luz do seu amor se espalhar para o que está próximo e fora de você; primeiro, tocando e, então, envolvendo e protegendo todos com quem você entrar em contato. É assim que você pode espalhar a graça da reconciliação, na forma dessa bela luz, por toda sua volta... Agora, traga-se de volta para o local onde começamos... volte para a pacífica clareira onde você começou a usar sua criativa imaginação e os poderes da visualização.

Em breve pedirei para você abrir os olhos. Quando o fizer, você se sentirá totalmente acordado e em perfeita saúde. Irá sentir-se radiante e em harmonia com a vida. Quando estiver pronto, pode se deixar tornar mais consciente de onde está... de sua presença nesse lugar. Sinta o contato com a superfície onde você está deitado ou sentado. Mexa os dedos dos pés. Estique e relaxe os músculos de suas pernas. Mexa a boca. Feche as mão lentamente. Inspire profundamente. Alongue-se. Abra seus olhos quando sentir-se pronto. Você está totalmente acordado e em perfeita saúde. Sente-se renascido, carregado com uma energia renovada e em total harmonia com a vida... Olá!

Se você... realmente..." (página 99)

Apêndice 4

Respostas Simples

"Um cônjuge para o outro: "Se você realmente me amasse, não falaria comigo dessa forma..."
Segundo cônjuge: "Você realmente acha que eu não te amo?"
Primeiro cônjuge: "É a forma como você fala comigo que me faz pensar que você não me ama mais."
Segundo cônjuge: "Mas o que você está dizendo é muito sério. Venha se sentar aqui por um momento e vamos conversar sobre isso."

Comentário: Você perceberá que o segundo cônjuge levou o que o primeiro disse ao pé da letra, sem se irritar ou protestar, o que conduziria a uma cena desagradável. Dessa maneira, a bomba foi calmamente desativada.

Professor para aluno: "Se você realmente quisesse se formar não deveria cabular todas as segundas aulas..."
Aluno: "Mas eu posso assegurar que realmente quero me formar."
Professor: "Nesse caso, porque você cabula a segunda aula? Esta não é a melhor forma de ir bem na escola."

Nesse momento, provavelmente, o professor está se preparando para iniciar um sermão que o aluno faz bem em interromper.

Aluno: "Eu entendo o que você está dizendo e, a partir de agora, farei tudo que puder para melhorar minha frequência."
Comentário: Em vez de dar mais desculpas desonestas, o aluno apenas respondeu à primeira parte da declaração da professora, fornecendo uma forma de sair de um conflito iminente.

Médico para o paciente: "Se você realmente quisesse emagrecer não deveria comer tantos doces assim..."
Paciente: "Mas eu realmente quero perder peso, doutor, posso afirmar isso."
Médico: "Bem, nesse caso você terá de prestar mais atenção a sua dieta." (O médico dá uma descrição detalhada de uma dieta apropriada.)
Comentário: O paciente usa exatamente a mesma manobra que vimos no exemplo anterior. Quando você se sente um pouco errado, como é o caso do aluno e do paciente, essa técnica é a melhor forma de escapar do problema. Você não precisa dar nenhuma explicação vaga ou esfarrapada e afirma para a outra pessoa suas boas intenções.

Exercício: "Até mesmo... deveria..." (página 100)

Paciente para a enfermeira: "Até mesmo uma simples enfermeira deveria ser capaz de perceber quando alguém está sofrendo..."
Enfermeira: "Sabe, o que você acabou de dizer é muito interessante. Certamente uma enfermeira, com todo o treinamento que tem e com toda sua experiência profissional, deveria ser capaz de reconhecer quando um paciente está sofrendo. Você está com toda a razão!"
Comentário: A enfermeira respirou profundamente e superou sua raiva. Ela fingiu não entender que estava sendo insultada e ignorou totalmente o sarcasmo na voz do paciente. Ela recusou-se a mostrar seu nervosismo e passou a impressão de estar realmente interessada.
Paciente: "Oh, bem... sim, obviamente..."
Enfermeira: "Bom. Agora que tal tirar sua temperatura?"

Criança para a mãe: "Mãe, até mesmo você deveria ser capaz de compreender que eu preciso de algumas roupas novas de verão..."
Mãe: "É um tanto comum entre os adolescentes achar que seus pais são completos idiotas. Mas não se preocupe com isso, isso vai passar daqui a alguns anos."
Comentário: Mais uma vez a suposta vítima usou o elemento surpresa para inverter as coisas. A técnica consiste em transferir o ataque para um nível impessoal. Isso costuma funcionar nesse tipo de situação.
Criança: "Mãe, você está zombando de mim. Não era sobre isso que eu estava falando..."
Mãe: "Sério? Bem, então do que você estava falando? Venha me explicar de uma forma que eu possa entender."

Marido para a esposa: "Até mesmo você deveria ser capaz de aprender a dirigir corretamente..."
Esposa: "Alguns homens acham que suas esposas são idiotas, mas estou surpresa em ver que você também pensa desse jeito."
Comentário: Esta é a mesma técnica de despersonalizar o ataque. A manobra é não-violenta e termina em uma forma de elogio: o marido não pertence à categoria de homem grosseiro, insensível que insulta a esposa dessa maneira. A última parte da sentença implica que o marido deve estar passando por um período difícil ou que seu comentário foi apenas um lapso. A esposa, generosamente, oferece-lhe o benefício da dúvida.
Se achar impossível contra-atacar; se o marido, por exemplo, se tornar excessivamente abusivo e condescendente e a esposa quiser pôr um fim aos insultos de uma vez por todas, poderá sempre transformar seu elogio em um comentário afiado, como vimos anteriormente:
Esposa: "A ideia de que as mulheres são incapazes de dirigir é comum entre os homens de uma certa idade, querido. Mas não se preocupe, não é sério."
Comentário: "...de uma certa idade" é uma frase crucial na sentença. Logicamente, ela poderia sofrer variações, tais como: "...de sua geração"; "... na sua situação"; "... de sua inteligência", etc.

Exercício: Apelando para as emoções (página 103)
Marido para esposa: "Por que você sempre tenta me fazer parecer um estúpido?"

Esposa: "Tenho uma ideia! Vamos dar uma festa, convide todos nossos amigos. Mas antes faça uma lista com todas as coisas que quer que eu fale e também com o que não quer que eu mencione, então eu não farei você se sentir um estúpido."

Comentário: A técnica usual, em situações como essa, é oferecer uma sugestão que irá remediar a reclamação, mas uma sugestão que você saiba que o outro irá recusar. Isso é exatamente o que a esposa fez aqui. A reação do marido é previsível.

Marido: "Isso é ridículo. Seria totalmente esquisito.."

Esposa: "Está certo, vamos esquecer isso. Não era uma grande ideia mesmo."

Comentário: O assunto está fechado por esse momento. O marido iria sentir-se ridículo insistindo diante de uma boa vontade tão inflexível.

Pai para filho: "Você não pode fazer nada para me agradar?"

Filho: "Que tal tentar algo? A partir de agora virei conferir meu dever de casa com você todas as noites. E você pode ir a todas as reuniões de pais e mestres, então poderá conhecer meus professores. Dessa forma eu terei boas notas e você dirá que fiz algo para te agradar."

Comentário: Mais uma vez a técnica consiste em sugerir algo que provavelmente assustará a pessoa. O filho sabe que seu pai já está sobrecarregado de coisas para fazer e não concordará com esta proposta.

Pai: "Hummm, bem, vamos conversar sobre isso semana que vem, quando eu tiver um tempo..."

Apêndice 5

Exercício de Visualização 1

Aqui está um exercício de visualização que irá ajudá-lo a se colocar no lugar de outra pessoa. Isso também o ajudará a desenvolver sua habilidade em visualizar. Você precisará de alguém para ler isso com voz clara e calma ou poderá gravar com sua própria voz e ouvir depois.

Fique em uma posição confortável – evite pernas ou braços cruzados. Feche os olhos e se concentre em suas pálpebras e, particularmente, nos músculos ao redor de seus olhos. Relaxe-os lentamente... muito lentamente. Agora, deixe essa sensação de relaxamento se espalhar por todo seu corpo. Respire fundo e, enquanto estiver respirando, repita várias vezes, em sua cabeça, o número sete e imagine estar vendo a cor vermelha. Relaxe seu corpo inteiro, da cabeça aos dedos dos pés. Re-la-xe. Deixe seu corpo relaxar profundamente.

Novamente, respire fundo, mas dessa vez repetindo o número seis e visualizando a cor laranja... Você somente quer fazer o que for bom para você... Inspire profundamente. Então, quando expirar, repita o número cinco em sua mente e visualize a cor amarela... Sua mente está calma e tranquila... Sua mente está descansando.

Inspire profundamente outra vez e, quando expirar, repita o número quatro em sua mente e visualize a cor verde. Você foi tomado por um sentimento de paz. Pense na palavra se-re-ni-da-de.

Inspire profundamente e, quando expirar, repita para si mesmo o número três, enquanto imagina a cor azul. Um sentimento de amor cresce profundamente dentro de você. Você se sente cheio de amor.

Inspire profundamente e, à medida que expirar, repita o número dois em sua mente e visualize a cor violeta. Você está em contato com a real essência de seu ser...Você está em harmonia consigo mesmo.

Inspire profundamente e, à medida que expirar, repita o número um e visualize a cor púrpura. Agora você está em contato com a parte mais profunda de seu ser. Você está em harmonia consigo mesmo. Sua mente atingiu seu nível mais profundo. Você pode utilizar essa energia para realizar aquilo que desejar, desde que seja uma coisa que deseje com sinceridade.

Imagine uma grande esfera de luz branca. Essa esfera está flutuando acima da sua cabeça e emite uma bela luz branco-dourada que banha todo seu corpo. Deixe a luz penetrar e enchê-lo completamente. A luz dourada o preenche, o envolve e o protege. Agora, apenas coisas benéficas podem acontecer com você. Você libera toda a negatividade e o ressentimento, que está sendo descarregado de seu sistema.

Busque na memória algumas situações difíceis pelas quais passou, tanto em sua vida profissional quanto particular... Nessa situação, você tem um problema com alguém. O relacionamento é ruim. Uma discussão, discordância ou outro tipo de agressão está tomando lugar... A cena se torna cada vez mais clara em sua mente. Especifique quando isso aconteceu, onde aconteceu e o nome da outra pessoa. Você ouve o que é dito tão bem quanto qualquer outro som que esteja próximo. Você revive os sentimentos que teve durante e depois da situação difícil... Talvez você associe a situação a algum odor ou gosto em especial... Dê um tempo e tente chamar novamente em sua mente tudo que for associado ao evento...

Dê um passo para trás e observe a cena. Veja como sendo um observador independente e objetivo. Veja você mesmo, em pé ou sentado, encarando a outra pessoa com quem está tendo problemas. Olhe para ela mais cuidadosamente. Mantenha-se vendo, ouvindo e sentindo a pessoa em sua mente. Entre na mente dessa pessoa. Você está dentro da mente da pessoa com quem está tendo problemas. Você se vê pelos olhos dela, se ouve pelos ouvidos dela, sente o que ela sente. Você se vê encarando a pessoa através dos olhos dela.

Entre nos pensamentos da pessoa perguntando-se, "Qual minha intenção positiva em opor-me a (diga o nome da pessoa...)?" "O que eu não gosto em (diga o nome da pessoa)?" "O que me incomoda em (diga o nome da pessoa)?" "O que está em jogo para mim?" "O que posso ganhar?" "O que posso perder?" "O que estou realmente tentando alcançar me comportando dessa forma?" Responda a essas questões em sua mente, sem forçar nada.

Preste atenção em todos os seus pensamentos, até mesmo no menos usual ou nos obscuros, pois eles costumam carregar as sementes da verdade. Continue pensando como se fosse a outra pessoa e faça essa pergunta para você: "Não há alguma outra forma para eu atingir meu objetivo ou satisfazer minhas necessidades nessa situação?" Tente conseguir uma alternativa de solução. Você continua dentro da pessoa com quem está tendo problemas. Você vê pelos olhos dela e, talvez, você veja sua própria face, como se estivesse se olhando no espelho. Pergunte-se: "O que mais eu poderia fazer para preencher minhas necessidades?", e tente encontrar uma segunda solução.

Você continua pensando como se fosse a pessoa com quem está tendo problemas. Ela, agora, tem duas outras soluções possíveis além de discutir com você ou tentar te dominar. Formule claramente essas opções em sua mente. Como você se sente na posição da outra pessoa? Você viu seu adversário (você) da mesma maneira?

Agora é o momento de sair do corpo do outro. Mais uma vez você é um observador externo e continua vendo duas pessoas, você e o outro, encarando-se. Você percebe alguma mudança na relação?

Agora é hora de fechar o arquivo e se separar das pessoas envolvidas. Em um momento, pedirei para você abrir os olhos. Você estará totalmente acordado e em perfeita saúde. Sua cabeça e pescoço estarão relaxados e você se sentirá em harmonia com a vida.

Quando se sentir pronto, torne-se totalmente consciente de onde você está... de sua presença aqui nesta sala... sinta a superfície onde está deitado ou sentado... mexa os dedos dos pés, contraia e relaxe os músculos de suas pernas. Mexa seu maxilar... cerre os punhos lentamente e depois solte-os. Inspire profundamente. Alongue todo seu corpo. Quando estiver pronto, abra os olhos... você está totalmente acordado e em perfeita saúde...

Antes de dizer ou fazer qualquer coisa, pegue um papel e uma caneta e escreva todas as informações que obteve durante o exercício de visualização.

Apêndice 5: Exercício de Visualização 2

Para fazer você precisará de alguém para ler isso com voz clara e calma ou poderá gravar com sua própria voz e ouvir depois.

Fique confortável em um lugar silencioso. Não cruze braços ou pernas. Feche os olhos e inspire profundamente. À medida que for expirando, deixe toda a tensão ir saindo de seu corpo. Inspire profundamente outra vez. À medida que expirar, livre-se de toda a tensão mental. Agora, respire normalmente, deixando um sentimento de relaxamento total invadir seu corpo e sua mente...

Pense em uma situação difícil com a qual está preocupado por achar que não conseguirá lidar com ela eficazmente. Qual a qualidade, qual o recurso interior que você gostaria de possuir nessa situação?

Busque em sua memória por uma situação passada em que você teve esse recurso. Reviva a experiência em sua mente com o máximo de detalhes possível. Foi num lugar bem iluminado? Ou foi em uma sala escura? Se era escuro, acenda as luzes.

Tente conscientizar-se da qualidade ou do recurso que você mostrou nesse momento. Lentamente, feche uma de suas mãos. Quanto mais você sentir a qualidade ou o recurso, cerre mais fortemente os punhos... Agora, solte os punhos, devagar. Mantenha os olhos fechados.

Tente lembrar-se de outra situação, onde exibiu a mesma qualidade. Visualize a cena. Se não puder achar uma, volte à primeira e faça novamente o que fez. Concentre-se em como se sentiu ao demostrar a qualidade, a força que está buscando. Lentamente, feche a mesma mão que antes. Quanto mais você sentir a qualidade que está buscando cerre mais fortemente o punho.

Agora abra seus punhos lentamente e deixe sua mente relaxar por um momento. Feche seu punho outra vez e reforce a experiência positiva que você acabou de ter. Crie uma figura mental de si próprio em uma situação num futuro próximo onde você precisará dessa qualidade. Tente imaginar como a situação difícil acontecerá. Imagine-se na situação e, então, lentamente, cerre o punho. Concentre-se na qualidade à qual os gestos estão ligados... na qualidade que você precisa agora.

Agora, abra seu punho devagar; torne-se consciente da superfície onde você está sentado ou deitado; mexa os dedos dos pés, contraia e relaxe os músculos de suas pernas; gire o maxilar; cerre os punhos lentamente. Inspire profundamente. Alongue seu corpo. Quando estiver pronto, abra os olhos. Você está totalmente acordado e sente-se em perfeita saúde... feche seu punho como antes: você sente a qualidade que está procurando dentro de você. Ela estava lá no passado e está aqui agora, pronta para ser usada...

Após esse exercício, o simples ato de cerrar os punhos deverá pôr você em contato com a qualidade ou recurso que está procurando: coragem, paciência, serenidade, entusiasmo ou qualquer outra que tiver escolhido. Se isso não acontecer, repita a visualização, tentando retomar uma experiência passada onde tenha sentido a qualidade de uma forma muito forte e, então, concentre-se nela o mais intensamente possível enquanto cerra os punhos lentamente. Quanto mais situações tiverem ligadas a essa qualidade, mais forte ela fica. Repita a visualização quantas vezes forem necessárias para ganhar firmeza na qualidade que está procurando. Lembre-se de usar a mesma mão para apenas uma qualidade por vez.

Essa técnica é baseada na associação do inconsciente entre um estímulo externo físico e um estado interno mental. Você pode usar o estímulo externo, por exemplo, pressionando seu dedão em uma parte de seu corpo – sempre certificando-se de que é um mesmo estímulo para uma mesma qualidade – ou qualquer outro estímulo tátil. A ligação também poderá ser desencadeada por uma imagem ou um som, mas eles são difíceis de se estabelecer fazendo o exercício de visualização sozinho e com os olhos fechados.

MADRAS® Editora — CADASTRO/MALA DIRETA

Envie este cadastro preenchido e passará a receber informações dos nossos lançamentos, nas áreas que determinar.

Nome _____
RG _____ CPF _____
Endereço Residencial _____
Bairro _____ Cidade _____ Estado _____
CEP _____ Fone _____
E-mail _____
Sexo ❏ Fem. ❏ Masc.   Nascimento _____
Profissão _____ Escolaridade (Nível/Curso) _____

Você compra livros:
❏ livrarias   ❏ feiras   ❏ telefone   ❏ Sedex livro (reembolso postal mais rápido)
❏ outros: _____

Quais os tipos de literatura que você lê:
❏ Jurídicos   ❏ Pedagogia   ❏ Business   ❏ Romances/espíritas
❏ Esoterismo ❏ Psicologia ❏ Saúde   ❏ Espíritas/doutrinas
❏ Bruxaria   ❏ Autoajuda   ❏ Maçonaria ❏ Outros:

Qual a sua opinião a respeito desta obra? _____
_____

Indique amigos que gostariam de receber MALA DIRETA:
Nome _____
Endereço Residencial _____
Bairro _____ Cidade _____ CEP _____

Nome do livro adquirido: ***Como Lidar Com Pessoas Difíceis***

Para receber catálogos, lista de preços e outras informações, escreva para:

MADRAS EDITORA LTDA.
Rua Paulo Gonçalves, 88 – Santana – 02403-020 – São Paulo/SP
Caixa Postal 12183 – CEP 02013-970 – SP
Tel.: (11) 2281-5555 – Fax.:(11) 2959-3090
www.madras.com.br

MADRAS® Editora

Para mais informações sobre a Madras Editora, sua história no mercado editorial e seu catálogo de títulos publicados:

Entre e cadastre-se no site:

www.madras.com.br

Para mensagens, parcerias, sugestões e dúvidas, mande-nos um e-mail:

marketing@madras.com.br

SAIBA MAIS

Saiba mais sobre nossos lançamentos, autores e eventos seguindo-nos no facebook e twitter:

@madrased

/madraseditora